赤い月、廃駅の上に

有栖川有栖

角川文庫
17581

目次

夢の国行き列車　5
密林の奥へ　27
テツの百物語　51
貴婦人にハンカチを　77
黒い車掌　91
海原にて　115
シグナルの宵　139
最果ての鉄橋　169
赤い月、廃駅の上に　203
途中下車　245
あとがき　280
解説　鳥肌の立つ傑作　小池滋　285

夢の国行き列車

トーストを頬張りながら読んでいた朝刊が、不意にテーブルの反対側から引っぱられた。勇太《ゆうた》のしわざだ。私は「こら」と一喝する。

「怒りたいのはこっちだよ。新聞ばっかり読んで。明日《あした》の新幹線、何時だって訊《き》いてるのに」

怒りたいのはこっちだよ、ときた。四年生になって、生意気な口をきくようになったものだ。

朝の忙しい時に、そんなことはどうでもいいだろうに。それほど楽しみにしている、ということか。

「九時だ。九時……ちょっと過ぎだったかな。ちゃんと予約してあるんだから、心配するな」

「じゃあ、八時に家を出たら間に合うね。僕は、もっと早起きしてもよかったんだけれどな。その方が会場にいる時間が長くなるから」

「九時過ぎの新幹線で充分だ。たっぷり遊べる」

「名古屋駅から会場までは、リニアモーターカーに乗るからね。どんなに待ち時間があっても、絶対に」

「ああ、判った判った」

新聞を引っぱり返したが、ゆっくり読んでいる余裕はなかった。トーストの最後のひと口をコーヒーで流し込んで、立ち上がる。妻が「ハンカチ、持った？」と対面式キッチンの向こうで言った。ポケットを確認してから「ある」と答える。

「じゃあ、行ってらっしゃい。今日は残業なしよね？」

「早くあがるよ」

大型連休の真ん中に、ぽつんと一つだけある出勤日なのだ。課員はみんな、定刻きっかりに退社するに違いない。親会社の銀行はもちろん、取引先も多くは休んでいる。いつもの時間に家を出た。ふだんより人通りは少なく、駅へと歩く勤め人たちの顔には気のせいか、不粋なカレンダーへの恨みが滲《にじ》んでいるようだ。

駅の改札の脇に、〈愛・地球博〉のポスターが貼られていた。開幕当初は客足が鈍かったようだが、次第に入場者数は伸び、このゴールデンウイーク中は大いに賑《にぎ》わっている。明日、明後日《あさって》は、さぞや疲れるだろうな、とあらためて覚悟した。

万博か。

家族で昔話をする折、私が大阪万国博会場で迷子になったことがよく語られた。あの時は心配したんだぞ……、迷子センターに問い合わせてもいなかった……、みんな右往左往したのにお前ときたら涼しい顔で付近をうろついて……、和也《かずや》だけちゃっかり万博見物をしてやがった……。

父から、母から、姉から、兄から、飽きるほど聞かされた。一家にとって、よほど印象深い事件だったのだろう。私は五歳だった。胸には目立つように迷子ワッペンを付けていたし、そんな小さな子供が独りでうろついていたというのに、誰も保護する者がいなかったらしい。よほど落ち着いて、堂々としていたのだろう。

お前は覚えていないだろうけれどな。五歳の幼さだったのだから、家族が必ずそう付け足すのも無理はない。だが、私には奇妙なほど鮮明な記憶が残っていた。

頭がくらくらするほどの人込みも、そのざわめきも、不思議な形をした色とりどりのパビリオンも、両腕を広げて聳《そび》える太陽の塔も、レストランから漂ってくる異国の料理の匂いも、夏の青い空も、アスファルトの熱ささえも、脳裏で克明に再現できた。理屈に合わない。おそらく、のちに本やテレビで獲得した情報を材料にして、再構成された偽りの記憶だろう。しかしながら、頭に浮かぶイメージはそれでは説明が難しいほど真に迫っており、薄気味が悪いほどだ。脳の襞《ひだ》に刻まれるほど、圧倒的な手応《てごた》えを持つ体験だったのかもしれない。

そんな話を六つ年長の主任にしたら、万博ならばそんなこともあるだろう、と納得していた。感動さえしていたようだ。当時十一歳で、「かつての万博少年」を自称する孤独そうな中年男。

大阪の万博をいまだに懐かしんで生きている万年主任は、現在開催中の愛知万博に行くのだろうか？　いや、おそらく——。

千里《せんり》センターで小規模のトラブルが発生した、処理する人員が足りないので二人ほど応援にきて欲しい、という要請が入ったのは正午前だった。この四月一日から全面施行された個人情報保護法がらみで修正したシステムに遺漏があったらしい。しくじると親会社に影響が及び、大きな新聞ダネになりかねない。手隙の主任と私が派遣されることになった。

淀屋橋《よどやばし》のオフィスを出て、地下鉄御堂筋《みどうすじ》線に乗る。昼食は千里中央《せんりちゅうおう》に着いてからすませればよい。ひと駅の間は吊《つ》り革につかまっていたが、梅田《うめだ》で座ることができた。

「戸倉《とくら》さんのお宅って、山田《やまだ》でしたよね」私は、ふと思い出して「こうなると判っていたら、センターに直行できたのに。間が悪いですね」

山田は、千里中央駅で大阪モノレールに乗り換えた次の駅だ。その隣は万博記念公園《ばんぱくきねんこうえん》駅である。かつての万博少年は、大好きな万博跡のすぐ近くに住んでいるのだ。

「しゃあないわ。トラブルやさかい。──それより川北《かわきた》君、明日から愛知万博に行くんやて？　家族サービスも大変やな。せやけど、幸せなことでもある。せいぜい奥さんや子供を喜ばせてこい」

いつもながらの覇気のない声で、彼はぼそぼそと言った。地下鉄の車内では、聴き取りにくい。

「子供がうるさいもので。夏休みに連れていくよりましかな、と。炎天下で長蛇の列に並ぶのはたまりません」

「そらそうや。大阪の万博の時は、そんなに暑かった覚えがないんやけど、今は地球温暖化の時代やからな。いや、あの夏もやっぱりじりじりと暑かったんかな。俺の記憶から消えてるだけで」

「戸倉さんは、あれに行くご予定はないんですか？　かつての万博少年としては、無視できないイベントでしょう」

戸倉は、自嘲《じちょう》めいた笑みを浮かべた。こんなものは見たくなかった、と思うほど卑屈な表情だ。

「誰と一緒に行くって言うんや？　家族は俺と旅行やなんて行きたがらん。お祭りなんやから、独りで行ってもつまらんよ。それに、万博は子供の時のあれ一回きりでええ。最後で最高の想い出を、そっとしときたい」

一九七〇年の大阪万博が、最後で最高の想い出。いつぞやも戸倉はそう語っていた。送別会だか忘年会だかの帰りに、珍しく二人きりで飲み直した折のことだ。彼はしたたかに酔い、ふだんは封印している話を切々と打ち明けた。

まずは、課内での自分の立場の危うさについて。四国支社で欠員が出そうなのだが、その時は自分が体《てい》よく飛ばされるだろうと案じていた。それは非常に困るのだ、と。

その後は堰《せき》を切ったように、妻との不和、娘の学業不振と素行不良、老親の長期入院など、気が滅入《めい》る話題のオン・パレードで、やんわりと制しても愚痴はだらだらと続いた。やがて時を遡行《そこう》して、学生時代に友人に裏切られただの、アルバイト先で悪い女に騙《だま》されただの、新鮮味を欠いた不幸なエピソードが繰り出される。まるで忍耐力を試されているかのようだった。

そのクライマックスが、万博がらみの一席だ。彼の家は小さな食品スーパーを経営し、すこぶる繁盛していたのだそうだ。「もっとも高度経済成長期のことで、どこもかしこも景気がよかったんやけどな」というのも、よく聞く話である。万博が開かれた一九七〇年こそ、戸倉家の幸福の絶頂であった。

「親子三人で、よう出掛けたわ。電車に乗ってな。せがんで、六回も七回も連れてってもろた。田舎からきた親戚《しんせき》の見物に便乗したのも合わせたら、十回以上は行った。最後に家族で行ったんは、閉会が迫った九月の上旬。えらい人やったなぁ。帰りは出口まで行き着くこともひと苦労で、押し潰《つぶ》されるかと思うた。『これで仕舞いやぞ』言うて、親父がようけ土産を買《こ》うてくれたわ。『終わったらお前の好きなパビリオンも全部壊されてしまうよって、しっかり目に焼きつけとけよ』て。こんなすごいもんが取り壊されるやなんて、ほんまかな、と信じられへん思いがしたけど、親父に言われたとおり必死で目に焼きつけた」

日本人の約半数にあたる六千四百万人の入場者という未曾有《みぞう》の記録を達成して、宴《うたげ》は幕を下ろした。その三年ほど後に日本の高度経済成長は終焉《しゅうえん》を迎えるのだが、それを待つことなく戸倉家の幸福は終わった。小金を貯めた父親が愛人を囲っていたことが発覚し、逆上した母親はいかがわしい新興宗教もどきに走る。母親によって財産の大半はインチキ教団に注ぎ込まれ、一家は無惨に崩壊した。両親は家庭内別居ともいうべき状態になり、息子は放置された。

「あとは滅茶滅茶や。暗い十代やったな。いや、十代だけやなしに、それからこっち、ろくなことがない。よう思うんや。親父が『しっかり目に焼きつけとけよ』て言うたんは、お前が人生で与えられた分の幸せはもう終了するぞ、という意味やったんかなぁ、と。――すまんな、しょうもない話を長々としてしもて」

その夜の勘定は持ってもらったが、どっと疲れた私にすれば、それぐらいでは割が合わなかった。

中津《なかつ》を過ぎて、電車は地上に出た。終点の手前まで高架鉄道になる。

「戸倉さんが山田にお住まいなのは、やっぱり万博記念公園が近いからですか?」

どうでもいいことを尋ねてみた。

「そういう理由やないねんけど……まぁ、たまたまやな。あっちの方に行くこともめったにないわ。昔、あれだけの祭りがあったのが嘘みたいに何もないからな」

「博物館もあるし、いい公園ですよ。それに、まだ太陽の塔があるじゃないですか」

「ぽつんと淋《さび》しそうに立っとる。お祭り広場の大屋根を突き抜けて立ってたのに、それも撤去されてしもうたからな」

「その大屋根というのは、丹下健三《たんげけんぞう》が設計したんだそうですね。丹下は――」

「ああ、死なはった。愛知万博が始まる直前に。開会式の日が葬式やったかな。偶然やけど、なんか皮肉やな」

と、戸倉はポケットから定期入れを出し、定期券の裏から何やらつまみ出した。ラミネート加工された古い切符だ。インクが薄れていたが、万国博中央口と読める。

「こないだ、いらんもんを整理しとったら見つかった。子供の頃に、会場の中で拾うた切符や。未使用やで。あらかじめ帰りの分を買うた人が、うっかり落としたんやろうな。——川北君も電車で会場に行ったんやろ。そしたら、この駅を覚えてるな？」

「何となく。この地下鉄が、会場前まで乗り入れていたんですよね」

私たちが乗車している電車は、正確には江坂《えさか》駅までが大阪市営地下鉄で、その先は経営母体が北大阪急行に変わる。大阪万博の開催に合わせて開通した鉄道だ。現在の終点は千里中央駅だが、往時はその手前で線路は東に折れ、大量の乗客を万博会場へとピストン輸送で運んだ。

「せや。御堂筋線が万博会場へつながってたと言うたら、大阪生まれでも若い連中は『ほんまですか？』てな反応をしよるな。今あるモノレールで、何千万人も観客を運べたはずがないやないか。そうかそうか。君は覚えてたか」

微《かす》かに覚えている。ずっと大阪に住んでいる人間よりも、私のように遠方から初めて大阪に遊びにきた者の方が、記憶が濁らないのかもしれない。

会場に向かう電車は、それこそ鮨詰《すしづ》めの状態だったが、テレビで観たあの未来都市がこの先にあるのだ、と思うと胸が躍った。夢の国、祝祭へと向かう列車だった。

「しかし、十回も行っただなんて羨《うらや》ましい。僕なんかは、もちろん一回きりですからね。吹田《すいた》にいた親戚の家に二泊させてもらったんですけれど、行ったのは一日だけ。二日目は大阪城へ連れて行かれて、あれは不満だったたな。大阪城なんて、いつきてもあるのに、と」

戸倉は微笑した。今度はうれしそうに。

「俺ぐらいの大阪の人間は、万博の話になったら『何歳やった？』の次に『何回行った？』と訊くもんや。五回、六回当たり前、やからな。中には、俺みたいな者もおる。『あの頃が一番、家が裕福やった』て言う者がな。日本のええ時代、大阪のええ時代やったんや。川北君は、六つ年下やったかな。そしたら、そういう感覚は――」

「それはありませんね。五歳ですから」

「会場の風景はよう覚えてたな。何がお気に入りやった？」

新大阪駅で乗客が減った。車内がゆったりとなる。

「豚の形をした蚊取線香入れみたいなのがありましたよね。あれが好きでした」

「ガスパビリオンな。テーマは〈笑いの世界〉。コメディ映画を観た。ミロの壁画も覚えてるけど、そんな有名な画家の作品とは思わんかった。カナダ館はどうやった？　知らんか。俺は、あれが好きでな。見上げるような高さの壁一面に、三万枚のガラスが張ってあって、圧倒された。四つある壁の真ん中に広場があって、そこで巨大な独楽《こ ま》みたいなのが回転して、それが四方の鏡に映るんやな。それがまた万華鏡とも違う美しさで――」

戸倉は、すべてのパビリオンの名前や外観はもちろん、個別のテーマも覚えていた。本人曰《いわ》く「その程度は自慢にならん」とのことで、さすがに川北の理解を超える。大阪には、そんな万博中年が山ほどいるようだ。

「未来を視たんや」

戸倉は、真剣な目をして言う。

「見たこともないデザインの巨大な建造物が犇《ひし》めいて、太陽の塔が聳える会場。あれを初めて見た瞬間、俺は感動で恍惚《こうこつ》となった。タイムマシンに乗って、時間を飛び超えたとしか思えんかった。たとえ明日、どこかにUFOが着陸して宇宙人が降りてくるのを見ても、教会に聖母マリアが出現するのを見ても、俺はあの時ほど驚くことはない、と確信できる。マンハッタンの林立する摩天楼？　スフィンクスにピラミッド？　そんなもん、あれに比べたら何でもない、ありふれた風景や。エキスポ'70は、どんな夢よりも夢のようやった。君は、夜景は見たか？　見てない。そうか、残念やな。夜の万博会場は、この世のものとは思えんほど幻想的やった。究極の夜景やった」

私にも楽しんだ記憶はある。しかし、今になって考えれば未来都市のパビリオンはたかが半年間のイベント用の施設で、奇抜な意匠もコンクリートで固めただけのものにすぎない。それが戸倉の中では、極限まで美化されているのだ。

「あまりにも明るい未来やった。おかげで、その後に経験した現実の未来が……」

「ギャップが大きかったわけですね？」

「痛いほどに。幻滅、が俺の世代の基本コンセプトや。輝かしい未来は前になくて、どんどん過去に遠ざかっていく。この年になって言うのもアホらしいけど、俺は、俺らは、大人に騙された。——しかし、それを恨めしく思うたりはせえへん。子供たちをよくぞ騙してくれた。おかげで、夢ぐらいは視られたわ。楽しい夢やった」

江坂を過ぎると、車窓は郊外らしくなってくる。かつて北摂《ほくせつ》のこの一帯は、どこまでも緑なす丘陵地帯だったらしい。だからこそ広大な敷地を必要とする万博の会場に選定されたわけだが、その頃の面影はもう薄い。そこここに緑はあるが、丘陵はざっくりと切り拓《ひら》かれてしまった。

千里丘は、もともと竹藪《たけやぶ》だらけの土地で、竹林は地震に強いと言う。東京本社のバックアップであるわが社の情報管理センターが千里にあるのは、そのためだと聞いている。

緑地公園《りょくちこうえん》駅の手前あたりで、戸倉の携帯電話が鳴った。まわりの目を意識しつつ、主任は電話を受けて、「判りました」とだけ応えた。

「トラブルは解決した。用事はなくなったみたいや。千中《せんちゅう》で昼飯でも食うて、ゆっくり帰ろうか。やれやれ」

「よかったじゃないですか。おかげで外の空気が吸えました」

「まぁな」

桃山台《ももやまだい》駅を出て少しすると再び地下にもぐり、ゆるやかに右にカーブを始める。すると、戸倉は振り返って、窓ガラスに額を押しつけた。

「川北君、見ときや」

何が見えると言うのか？

「ほら、あれ」

一瞬で、それは流れ去った。壁面にぽっかりと黒い穴が開いていた。電車は、今度はわずかに左へ曲がっていく。

「今のは、万博会場に向かうトンネルの跡やで。あそこで右に急カーブして、中央駅まで行ってたんや。あの向こうに、夢の国があった。……嘘みたいやな」

通勤で毎日利用している電車だというのに、彼は感傷的に言った。毎朝毎夕、指をくわえて窓を覗《のぞ》き込んでいるわけでもないだろうが。

終点に着いた。先に降りた主任の背中に、私は声をかける。

「ここは戸倉さんの縄張りですよね。どこか安くておいしい定食屋にでも案内してくださいよ」

彼の両肩は、がくんと落ちていた。空気が洩《も》れつつある風船のようだ。寸時あって、ようやく振り向いた。

「あ？　ああ、定食屋ね」

ネクタイの陰になっていた部分に、小さな醬油《しょうゆ》のしみがあった。連休前、昼食を食べた際についた汚れだ。

「うん、行こうか」

戸倉は、階段へと歩き出した。

二時過ぎにオフィスに戻り、五時まで仕事をこなした。いつもの半分も電話が鳴らない。気怠《けだる》い午後だった。

課長が率先して席を立ち、「お先に」と帰っていくと、それを合図にして残りの課員も机の上を片づけにかかった。

そろそろいいだろう、と私も鞄《かばん》を手にして部屋を出かける。まだ帰るそぶりのない戸倉に、軽く挨拶《あいさつ》をした。

「ああ、お疲れ。愛知万博を楽しんできいや」

「戸倉さんは、まだですか？」

「うん。もうちょっとしたら」

力ない声だった。

私は、体を引き剝《は》がすようにして彼から離れる。かまってやりたい気持ちが、関わり合いたくない気持ちに勝るのを恐れたのだ。

昼食後のこと。

喫茶店の隅の席でコーヒーを飲みながら、とりとめもないことを話した。またもや万博の想い出話が始まりかけたところで、彼は長い溜《た》め息を吐《つ》いて、言った。

「実は女房が、母親と同じようなもんに入れ込んどるんや。家のことは、ろくにせん。

八方ふさがりや」

どのようなものに、いつから、どれぐらい、と尋ねる気にもならなかったし、戸倉もそれ以上は語ろうとしなかった。事態が深刻であることを匂わせただけで黙ってしまい、コーヒーの味はただ苦いだけのものになった。他人事《ひとごと》ながら腑甲斐《ふがい》ない、という苛立《いらだ》ち。何かが少し狂えば誰でもこうなる、という不安。その二つが綯《な》い交ぜになって、私は平静でいられなかった。

「みんなお疲れ」

居残ってするほどの仕事などあろうはずもないのに、戸倉はそう言って課員らを見送っている。席に留まっているのは、他に一人だけだった。その男に、主任は尋ねた。

「なんや、志村《しむら》君。君は帰らんのか？」

「はい。UCSの担当者から電話が入るはずなんで、それまで帰れんのです。ちょっと契約書の不備でトラブってまして。いえ、大したことではありません」

「そうか。大したことないんやったら、ええけど」

私が主任の姿を見たのは、それが最後になった。

連休が明けても、戸倉は出社しなかった。課長が自宅に電話をしても応答がない。

何度かかけた末に妻が出て、夫が四日前から家に戻っていないことを告げた。

戸倉は失踪《しっそう》したのだ。

四日前の夜、彼は志村とともに退社している。消えた男を最後に見た独身の若い部下は、こう証言した。

「結局、UCSから電話がかかってきたのは、九時半でした。主任は僕に付き合って、それまで一緒に待っていてくれたんです。別に付き合っていただく必要はなかったんですけれどね。会社を出て、飯を食べに行きました。主任に誘われたんです。その後、奢《おご》るからと呑《の》み屋にも誘われて、十二時近くまでちびちびやりました。陽気な酒ではありませんでしたけど、主任の場合、いつもそうです。帰宅拒否というのは大袈裟《おおげさ》かもしれませんが、家に足が向かない様子ではありましたね。大した話はしていませんよ。『転勤は困るんや』とこぼしていたのが、ちょっと印象に残っています。湿っぽくなりかけましたが、店の親爺《おやじ》さんが面白い人で、僕らの会話に割り込んでくれたから間が持ちました。帰りは、地下鉄の改札口まで一緒でした。主任は特に変わった様子もなく、『ちょうど終電に間に合うわ』と御堂筋線のホームへ降りていきました。どこかへ寄るなんてそぶりは、毛ほどもありませんでしたから、まさかあのまま失踪してしまうなんて……。車内か駅から自宅に帰る途中で、トラブルに巻き込まれたのかもしれませんよ」

何か心当たりがある者はいないか、と課長が全員に訊いたが、私は黙っていた。悩みを抱えていそうだったからね、衝動的に消えたくなったんだね、と納得する者が大半だった。事件や事故の可能性は、ほとんど語られない。戸倉は彼らの想像の中で、早くもホームレスの姿になりかけていた。

その日の終わりに、課長から報告があった。

「戸倉主任の件ですが――」

警察が調べたところ、当夜、彼は千里中央駅で終電から降りていなかった。


勇太が玄関まで走ってくる。万博会場で撮った写真が現像できている、と。うまく撮れていたらしい。自分が手にしている幸福に感謝したくなる。息子が訝《いぶか》しがるのもかまわず、私はその体を抱きしめた。

「あら、何ふざけてるのよ」

キッチンから覗いた妻が、そんな私を見て笑った。

「お父さん、写真を見てよ。あ、順番を変えないようにね」

ダイニングのテーブルで、勇太が差し出した写真を見た。妻がフライパンで玉葱《たまねぎ》を炒《いた》めている。機械的に手を動かし、息子の言葉に適当な相槌《あいづち》を打ちながら、私はうわの空だった。

四日前。

この部屋でビールを飲みつつ、テレビの深夜番組を観ていた。零時を少し回った頃に、携帯電話が鳴った。

――夜分に悪いね、川北君。

戸倉だった。

電車の走行音らしいものが、声の背後でしている。

――つまらない話を聞いてくれて、ありがとう。悪かったね。色々と、ありがとう。世話になった。

別れの挨拶のように聞こえた。四国支社への転勤を決めたのか、と思った。この時間に急いで電話してくる必要もないだろうに、とも。

「戸倉さん、どうしたんですか？」

奇異に思って尋ねた時、鋭い金属音がした。それは、長く、長く、尾を引いた。電車が急なカーブにさしかかったのだろう。

――みんなに、よろしく。

「戸倉さん？」

――元気でね、川北く

通話が切れ、それっきり電話は鳴らなかった。

あれは、酔っ払い、人恋しくなってかけてきたのではない。今となれば理解できる。何故、私にかけてきたのかも。

――川北君、見ときや。

あの日の昼間、戸倉とともに見たトンネルが脳裏に甦《よみがえ》った。黒々とした深い闇が。

――ほら、あれ。

戸倉が自ら逃げ込んだのか、呼び込まれたのかは判らないが、いつか元気で戻ってくることを、私は信じたい。

大丈夫だ。きっと帰れる。

切符は持っているのだから。

密林の奥へ

小さな呻《うめ》き声を、ずっと聞いていた。それが自分の喉《のど》から溢《あふ》れだしていることを意識しながら。

異国で病に倒れ、もう二日も伏している。いや、三日……四日……一週間もたったのだろうか。時間の観念はとうに失《う》せていて、とんと見当がつかない。

重い瞼《まぶた》を持ち上げてみると、目に映るのは薄汚れた天井で回っている扇風機だけで、物憂い回転音が心地よいような、よくないような。生温《なまぬる》い風が、わずかに汗ばんだ額を撫《な》でさすっている。見るほどのものもないので、また目を閉じた。聞くほどのものも聞こえないが、耳は閉じることができない。

剝《む》き出しの右肩を這《は》っているのは、見ずともおそらくあの半透明の小さな羽虫だ。あまりにも開放的な病室には、窓から虫たちが次々に侵入してきて、眠りに落ちる前までは、背中を虹色《にじいろ》に輝かせた守宮《やもり》が、ベッドの傍らの壁にへばりついていた。

左腕をそろそろと持ち上げ、病床にあっても付けたままにしている腕時計を覗《のぞ》いたら、二時四十分だ。外は明るいから昼下がりに決まっているのに、いやいや、これがこう見えて真夜中だったとしても、もう驚きはしまい。この国では、この密林の奥では、すべてが常識から遠く離れていて、どんなことでも起きるということは、迷える旅の途上で嫌というほど思い知らされた。

――P＊＊＊までは、そうでもなかったのに。

はるか昔のことのようだ。

――あの駅の簡易宿泊所《リタイアリング・ルーム》で、鳥の話を聞いたのが間違いの始まりだったわけだ。

始まりから思い返してみる。

この国で長距離列車の切符を取るのは容易ではない。慢性的な機関車と車両の不足、故障や脱線による頻繁な運休、それに伴う不正確極まりない列車運行のおかげで、目的地までの切符を予約センターで頼んだ後は、運を天に任せて吉報を待つしかないため、大都市や交通の要衝にある駅には簡易宿泊所が設けられていた。便利なようで、その存在が腹立たしい安宿だ。寝袋を背負って旅している彼は、わずかな宿賃すら節約するためホームやコンコースの片隅で眠ることが多かったのだが、P＊＊＊駅に流れ着いた時は長旅の疲労が蓄積していたものだから、日本円にすればコーヒー代ぐらいの対価を払って投宿した。

二段ベッドが二つ並んだドーミトリーには、同性愛を疑わせる若い男の二人連れと、蟹《かに》のような顔をした中年の行商人がいた。疲れていた彼は、誰にも邪魔されずにじっと横たわり、心身をリラックスさせたかったのだが、物事が期待どおりに運ぶことは稀《まれ》なわけで、おしゃべり好きな中年男に捕まってしまった。地球の裏側からやってきた旅行者が珍しい上、片言で会話ができることが判り、すっかり懐かれてしまったのである。

しかし、やりきれないほど煩《わずら》わしかったのは最初の五分ほどで、十分もすると無邪気ゆえにおせっかいな男の人柄を愉快で好もしく思い始め、ほどなく「友よ」と呼び合っていた。もちろん、袖《そで》振り合っただけの通りすがり同士であることを承知しながらの戯れではあったが。二十四歳の彼のちょうど二倍の年齢の男が持ち出す話題は、ラグビーボールのように意外な方向に転じ続け、おかげで宿に滞在した十五時間ほどの間、彼は退屈を遠ざけることができた。

おそらく十七番目ぐらいの話題である。当地の国土の半分ほどを占める密林の奥へ奥へと分け入り、とびきり珍奇なものが目撃したい、刺激的な体験を望む、と彼が話した時のこと、行商人は自慢げに鳥の話をしてくれた。別段、男が自慢する理由は微《み》塵《じん》もなかったのだが、耳寄りな情報だと自負していたのだろう。

——あんた、K＊＊＊に行こうとしているんだね。それならば、W＊＊＊で乗り換えて西へ向かうといいよ。できるものなら、そのまま奥へ奥へ、恐ろしく進んでいけばいい。どん突きまで行って、できるものならココア色に濁った川を船で上ってみるといい。その先で、恐ろしく大きな鳥が見られるかもしれないよ。海に鯨がいるように、空にも恐ろしく大きな生き物がいなくてはおかしい、と不思議に思ったことはないか？　ちゃんといるのさ。恐ろしく辺《へん》鄙《ぴ》なところに棲《す》んでいるので、見た者が恐ろしく少ない、というだけのことなんだ。首から提げているそのカメラで写真の一枚でも撮って帰れたら、世界中の新聞社に売りつけることだってできるはずだ。そんな鳥がいるのなら、どうして鳥を研究する学者先生が調べにこないのかって？　話を聞いただけでいないと思っているんだろうね。いるかもしれないものを探しにいくのが学者先生の仕事だと思うんだけれど、どうしてだか空の鯨は信じてもらえないみたいだ。名前？　その鳥の名前か。噂を聞いたことがある人間は、今みたいに空の鯨とか呼ぶけれど、その土地の人間がどんな名前をつけているのかはよく知らない。恐ろしく辺鄙で、地図もちゃんと作られていないような土地だから、恐ろしく言いにくい名前らしくて、一度聞いたことがあるけれど覚えられたものじゃない。そこいらの連中は、聞き慣れない言葉をしゃべるからね。あんたが写真を撮って、世界中に発表する時に、自分が好きな名前をつけてやればいいんじゃないか。そうだ、名前をつけてやればいい。

男は上機嫌で、何度も彼の背中を叩《たた》きながら、新しい生き物の発見者となるために旅立つよう勧めた。空の鯨はあまりに大袈裟《おおげさ》だろう、と笑ったら、さすがに鯨は言いすぎだが恐ろしく大きいことは断じて嘘ではなく、そいつが線路上で野兎の屍肉《しにく》を啄《ついば》んでいたため、列車が急ブレーキを掛けて停まったことがあるらしい、などと言う。猛禽《もうきん》なのだ。そいつが棲息《せいそく》しているのは鉄道の終点で下りてからまだ川をずっと遡《さかのぼ》ったところだと言った舌の根が乾かぬうちに、線路の上で目撃されたことがある、とはすでに話が綻《ほころ》びていたが、善意のはったりで彼を駆り立ててくれているのだろうし、矛盾を指摘するのも野暮なので、相槌《あいづち》を打って聞き流した。

――灰色の羽と黄色い嘴《くちばし》を持った恐ろしく大きな鳥だよ。探しに行ってみるかい？道中は楽ではないだろうけれど、冒険旅行の目的としては申し分がないはずだ。反政府ゲリラが出没する地方ではないけれど、先に進めば進むほど何もかもが貧しげになって、森が海のように深くなって、文明が恋しくなるかもしれない。それでも行ってみるんだな？　男の子よ、幸運を祈る。苦しいことがあっても、自分が決めたことなんだから、俺を恨むんじゃないぞ。

切符を入手した彼は、珍しい電気式ディーゼル機関車が引く老朽化した客車に乗り込み、一路K＊＊＊をめざした。彼が好きな夕刻の出発だった。胸を締めつけるような機関車の警笛がまだ耳朶《じだ》の奥に遺《のこ》っている。あれは娑婆《しゃば》との別れを予感した彼の心の叫びであったか、はたまた中途半端に親切な運転士による最後の警告であったか。鉄の車輪が回転を開始した時、彼の運命は劇的に変化したのだろう。

夜を徹《てっ》しての汽車旅は、当然ながら快適とはほど遠く、鮨詰《すしづ》めの三等車による旅の苛酷《かこく》さはこれまで世界のあちこちで経験ずみだった彼も、うたた寝すら与えてくれぬ椅子の堅さに閉口した。眠れぬとなるとエアコンがないため暑さを忘れることもできず、体中を汗でべたつかせたまま羊を千匹まで数えたところで、馬鹿らしくなってやめた。一睡もしないまま迎えた朝の光は強烈で、この先の厳しさが思いやられた。

コーヒー園とゴム園、山の彼方《かなた》まで続くニッパ椰子《やし》の間を抜けて、走りに走り、P＊＊＊を出てからきっかり十八時間後、ようようW＊＊＊に着いた。ホームが二面あるだけで、駅舎はペンキが剝《は》げてはなはだ見すぼらしくはあったが、西へ向かう線が分かれていくジャンクションだ。簡易宿泊所で行商人の男から教わったとおり、辺境へ伸びる支線に乗り換えることにした。

といっても、次の列車が出るのは二十時間後だったため、駅舎で一夜を過ごさなくてはならなかった。前夜に比べれば、コンクリートの床がひんやりと冷たい分だけ凌《しの》ぎやすくはあったが、ふと気がつくと顔のそばを毛むくじゃらの蜘蛛《くも》が這っていたりして、安眠を楽しむというわけにはいかず、やはり長い夜だった。

翌日、朝のうちに出発すべきはずの列車は午後になっても姿を見せず、念のために駅員に説明を求めたところ、よくあることながら遅れているので今日は列車を待っても無駄だろう、という意味のことを言われた。さして失望しなかったが、駅員の訛《なま》りがきつく、それだけのことを聴き取るのに難渋したことを心細く思った。さらに奥地に向かうと、会話がほとんど成立しなくなるであろうことが予測できたからだ。言葉が通じなくても、身振り手振りでコミュニケーションに努めれば、何を希望しているのかぐらいはおのずと伝わるものだが、この国のように政情が不安でハプニングが多い土地で楽天的になることは危険で、しばしば臆病《おくびょう》は美徳だった。

駅前に露店が出ており、商店もいくつかあったので、食べるものを調達して、いつくるとも知れぬ列車を待つことにした。薄焼きパン、雀らしき鳥の串《くし》焼き、干し葡萄《ぶどう》入りの餃子《ギョーザ》に似た何か、トロピカル・フルーツの盛り合わせにココナッツ・ミルクを掛けたデザートなどを賞味して、ひとまず満足する。空腹が収まると、未知の前途へ寄せる期待が大きく高まった。

その夜は、駅舎の窓越しに空を見上げて過ごした。見たこともない数の星々が、熱帯の濃厚な空気に揉《も》まれて力強く輝くのに見惚《みと》れているうちに、それらが滝となり、いっせいになだれ落ちてくる場面を想像しながら気持ちよく眠った。

待望の列車がやってきたのは、翌日の正午前だった。紅殻《べんがら》色のディーゼル機関車が、木造の客車を三両引いている。三両も、と思った。彼以外に列車を待っている人間がいなかったからだ。最後尾は奥地に運ぶ生活必需品を積んだ貨車だったことには納得がいったが、発車の直前になると、いったいどうやってタイミングを知ったのか、十人近い男女が荷物を携えて現われて彼を驚かせた。この土地の人々は、自然と共生する農夫や漁師が天気を読むように、列車の接近を察知する能力に長《た》けているのかもしれない。

さすがに密林の奥への鉄路は保線の状態が劣悪で、動揺と振動が激しかったために、一時間もすると酔ってしまった。せいぜい時速四十キロほどで走っているだけなのに、信じられないほど揺れたのだ。座席に横になり、こんなにひ弱でどうする、と自分を叱りつけたが、ほどなく酔いは治まって、けたたましいばかりの線路の響きも頼もしく感じられるようになった。

かくも鄙《ひな》びたところまで列車を通わせているのだから、この国の人々のパワーは決して侮れない。大した開拓精神だ、と称賛したいほどだ。車窓を去っていくのは、憎らしいまでによく育った熱帯の木々のみで、行けども行けどもろくに人家がない。駅と駅の間隔はやたら長くて、腕木式信号機や勾配《こうばい》標など鉄道に付随する施設以外には人工のものを見なかった。

緑はますます濃く、木々はますます高くなっていく。そして、色彩は鮮やかに。線路脇に紫色の蘭が咲き乱れていたり、垂れ下った蔓性《つるせい》の植物の陰には白い毛をした猿が蹲《うずくま》っていたりするのを見ていると、胸騒ぎがしてきた。これまでも無茶で無謀な冒険旅行をしてきたつもりだが、たいていは予想や覚悟の範囲内だった。それがここにきて、ようやく奇怪な夢のごとき領域に足を踏み入れた、と感じたのだ。暗い森の奥のそこかしこからは、嘲笑《あざわら》うような鳥の声が聞こえていた。

一時間ほど走ったところで、同じ車両に乗り合わせていた婦人から話しかけられた。若いのか老けているのか見分けがつかない風貌《ふうぼう》の女で、卵白色の麻のシャツに極彩色のスカートを穿《は》いている。親しげに口をきくのだが、ほとんど聞き覚えのない言葉を操るので、何かを尋ねられていることしか判らなかった。おそらく旅の目的地なり目標を訊《き》かれているのだろうな、と判断して、西へ進んで川を上るのだ、ということを伝えるべく努めたのだが、何も理解してもらえなかったようだ。女は微笑み、彼の肩を軽く叩いて離れた座席に戻っていった。

ひたすら西へ進む旅ではあるが、線路はジャングルの中を真っすぐに敷かれているわけではない。時折出現する沼沢《しょうたく》や地上に露出した岩脈を迂回《うかい》して、ゆるやかに蛇行する。その様を天空から眺めたら、巨大だが寸詰まりのアナコンダがのたくっているように見えるかもしれない。

植物たちの勢力は、いよいよ盛んだ。木立の幹は怪物めいて太く、微風にそよぐ下草の葉は気味が悪いほど大きくなってきた。まるで走っているうちに列車のサイズが三割ほど縮んだかのようだ。人間の手首を連ねたほどある蝶《ちょう》も見た。まさか、と思って目を擦《こす》ることが多くなったが、それしきはまだ驚異の始まりに過ぎなかった。

W＊＊＊を出てから、列車は二度、停車した。駅とは名ばかりでろくにプラットホームもない停車場だったが、二つ目のそれを出て以来、列車はひたすら走り続けていた。人家がないのだから停まる理由もないのだが、このまま永遠に下車できないのでは、と思わせる。やがて日が傾いてきた。

熱帯特有の激しい雨がきた。一つ一つの雨粒が紙巻き煙草ほどもあり、列車の屋根を突き破りそうな勢いだった。慌てて閉めた窓は涙で濡《ぬ》れたようになり、森は白い飛沫《しぶき》に包まれた。凄絶《せいぜつ》な風景だったが、ものの五分もすると雨は去って、美しい夕暮れが訪れた。列車は、なお停まる気配を見せないままだ。

ジャングルが黒く塗り潰《つぶ》され、星明かりが下界に注ぐようになってからも走り、八時が近くなった頃にやっと三番目の駅に着いた。これが意外なことにW＊＊＊とさほど遜色《そんしょく》のない集落で、高床式の家が駅周辺に二十戸ばかり寄り添っていた。駅には、開襟シャツに国鉄のバッジをつけた駅員もいる。Y＊という駅名は、どう発音していいのか判らず、携えている地図で位置を確認しようとしたら、乗ってきた支線は工事中となっていた。ユースホステルでドイツ人のバックパッカーから譲ってもらう際、相手が「古いからあまり信用しすぎるな」と忠告してくれたのを思い出した。

列車はこの駅止まりだったが、線路はまだ先へと伸びていた。密林の奥へ、奥へ、まだまだ続いているようだ。

駅員に切符を渡しながら、さらに西へ向かう列車について尋ねると、明日の朝になったら奥地からやってきて折り返すのがある、という。一週間に一本の列車らしい。それだけのことを聞き出すのに、紙とペンを駆使して三十分を要した。

一週間に一本の列車に乗れそうなことを幸運に思い、W＊＊＊で買い溜《だ》めしたパンと干し肉で夕食をとってから、寝袋で休んだ。思えば、あれが文明世界に引き返す最後のチャンスだったのかもしれない。

はたして奥地からの二両連結のディーゼルカーは、朝日を浴びながら到着した。駅員は旅人の目的地を尋ね、しかるべき切符を販売しようとしたらしいが、行き先はどこと彼が正確に言えなかったものだから、業を煮やして金額を連呼しながら適当な切符を切った。薄くて粗悪な紙のものだったが、青い波模様の透かしがきれいだった。

また列車に揺られる一日が始まった。乗客は彼の他に二人、三人。密林の奥へ、奥へ。高温多雨という自然の恵みを心ゆくまで享受した植物たちは、しばしば列車の中まで侵入を試みる。甘い樹液の匂いが窓から流れ込み、張り出した強靭《きょうじん》な鞭《むち》のようにしなってピシリピシリと車体を打擲《ちょうちゃく》した。か細い軌道を蚕食《さんしょく》しようとする下草やら線路脇の竹笹がバサバサと薙《な》ぎ払われる音は、ほとんど絶え間がなかった。

植物だけではなく、ここには生命が溢れているのだ。無数の生命から立ち上る瘴気《しょうき》で、車窓が曇ってしまいそうだ。密林の奥の闇に、獣の目が妖《あや》しく光っているのを見た。夜行性の猛獣は、我がもの顔で白昼の森を行く列車に敵意を向けているのか。木立の間を飛びかう鳥の声、その禍々《まがまが》しさ。梢《こずえ》に咲く大輪の花々、その毒々しさ。車窓を流れていくのは、華麗な悪夢のような世界だった。

もしも今、列車から放り出されたら、と考えるだけで、蒸し暑い車中なのに肝が冷えた。待ち構えていた何かに襲われ、十分と生きてはいられないだろう。三十分後には、白骨が湿った地面に散乱しているのに違いない。いったい何が襲いかかってくるのか、と問われても答えられはしないのだが。彼が恐怖したのは、猛獣や毒虫にムシャムシャと食われることではなく、極彩色の無間地獄に吸い込まれて、精神が崩壊することだった。

旅は、延々と続いた。太陽が没しても、満月が東の空に上っても、一向に速度を落とすことなく、単調なレールの音を響かせながらどこまでも進む。夜の森では猛々《たけだけ》しい咆哮《ほうこう》がして、闇の中に夥《おびただ》しい数の目が輝いていた。得体の知れない駅で下ろされるよりも、朝までずっとこの列車に乗っていたい、と希《ねが》った。たった二両だけのディーゼルカーが、どうしてこんなに長距離を駆けるのか、といった疑問は封印した。何も考えるべきではない。常識や理性を捨てなければできない旅になってしまったのだから。

結局、列車が停まったのは二日目の午後だ。森が少しずつ開け、やがて着いたＯ＊＊＊＊＊は、これまで見たどんな集落とも異なる佇《たたず》まいをしていた。家々の形状だけでなく、人々も顔立ちから身にまとっているものまで、すべて別の国のもののよう。

だが、ありがたいことに賑《にぎ》わっていた。駅前には食料品や雑貨を扱う露店が出ており、ささやかな市まであった。手持ちの金が通用するかどうかだけが心配だったが、それも杞憂《きゆう》だった。彼は、貨幣経済がここまで及んでいることに感謝したが、鉄道が敷かれているのだから馬鹿げた感慨であった。

何よりもうれしかったのは、言葉が楽に通じる駅員がいたことだ。その青年は少年時代を首都で過ごしたそうで、片言の英語をしゃべるだけの教養も持ち合わせていた。ありったけの質問をぶつけ、情報を収集する。青年の説明によると、やってきた線路を戻ろうとしたら一週間をここで無為に過ごさなくてはならないから、七十キロほど西のH＊まで行く列車が明朝出るので、H＊で乗り換え、終点のA＊＊＊で船に乗り換えることを勧められた。上流をめざしてより刺激的な旅を楽しんでもいいし、下流に向かえば二日で隣の州都へたどり着けると聞いて、迷った。文明世界に帰還したくもあるし、ここまできたのなら所期の目的である空の鯨との対面を果たしたいとも思う。熟慮の末、A＊＊＊駅に着くまで結論を先送りにした。

その夜は親切な青年の家に泊めてもらい、十人の家族に囲まれて歓待されたおかげで、生気が甦《よみがえ》った。密林の真っ只中《ただなか》の、まさにオアシスであった。

翌日乗り込んだのもディーゼル機関車が牽引《けんいん》する客車だった。五両もつないで、せっせと空気を運ぶつもりらしい。彼は一人で最後尾に乗り、青年がホームで手を振るのに応《こた》えた。O＊＊＊＊駅を出てすぐに急な左カーブがあった。たちまちオアシスは消え失せて、森が列車を呑《の》み、また真昼の絢爛《けんらん》たる悪夢が始まった。

──H＊で乗り換えて、終点のA＊＊＊＊まで行けばいいんです。すると川に出ます。船の便はとてもいいですよ。

青年の駅員に言われたとおりA＊＊＊駅まで行くことは、歯を磨くのと同じぐらいたやすいことだと思っていた。僻地《へきち》のH＊駅で、線路が二股《ふたまた》に分かれているのを見た時は、どうしてこんなところで、と怪訝《けげん》に感じながら、自分が行きたいのはA＊＊＊＊である、これで絶対に間違いないのだな、と駅員にくどいほど念を押した。言葉がまるで通じない相手は、うんうんと簡単に頷《うなず》くので、胸ぐらを摑《つか》まんばかりにして確認を求めたら、黙って切符を渡された。行き先が明記されておらず、金額だけが手書きされた乗車券だ。信じるしかないので、相手が指差す車両に乗り、列車は右の線路へ──。

二日二晩、ノンストップで走った列車が着いたのは、恐れていたとおり見当はずれのX＊＊＊＊＊。無気味なほど賑やかなところだった。ジャングルの中にあって、異様な町である。そこで鉄路は三つに分岐していて、そのうちの一つはA＊＊＊に通じているらしいと、言葉が不如意な駅員に尋問に等しいことをして聞き出した。ただし、直通列車はないので、中程のQ＊＊＊＊＊駅で接続している別の列車に乗り換える必要があるという。

彼はそうした。そうしたつもりなのだ。

天井で扇風機が回っている。

窓から差し込む光の角度が、少しずつ小さくなっているようだ。夕刻が近いのか。――もっと早く倒れなかったのが不思議だ。Q＊＊＊＊＊駅で接続しているはずの列車が影もなくて、夜明かしさせられたあたりが限界だった。

信号所にしか見えないQ＊＊＊＊＊駅で彼だけを下ろした列車は引き返していった。泣きたくなるような一夜が明け、やってきた列車は思いがけない方角に彼を連れていった。重い音をたててポイントが切り替わり、列車は密林の真っ只中めがけて突進したのだ。生い茂った草が線路を覆い隠していたらしい。このままではA＊＊＊に行けないではないか、と彼はパニックに陥った。しかし、これまでの列車と同様、車掌は乗り合わせておらず、運転席の扉を叩いて怒鳴っても返事はなかった。

密林を、北へ南へ、東へ西へ。彼の彷徨《ほうこう》はいつまでも続いた。どうしてこんなことになったのか、微《かす》かに思い当たるのはV＊＊＊＊＊＊＊に流れ着き、その駅裏で宿に泊まった時のことだ。

深夜、駅員が構内の隅で何やら作業をしているのを部屋の窓から覗き見た。三人の職員が線路の点検をしているか、と思って眺めていたのだが、それにしては様子がおかしかった。鶴嘴《つるはし》か何かを振り下ろし、カツンカツンと金属音を立てている。まるでレールが憎くて打ち据えているようだ。気になったので部屋を出、壊れた柵《さく》の隙間から駅の敷地内に入ってみた。砂利が鳴らないように用心しながら忍び足で近づいて目撃したものは……。

――刈っても刈っても、また。

――文句を言うな。刃毀《はこぼ》れしてきたぞ。

彼らの言葉が判った。直感で理解した。

――ちょっと目を離したらこれだ。

――雨が降るたびに。

――刈っても、刈っても。

自分がとんでもないところに迷い込んだことを知った。

彼らが手にしているのは、死神が持つような大鎌だった。

いくつの列車を乗り継いだだろうか。
いくつの集落を通り過ぎただろうか。
いくつの夕焼けを見送っただろうか。

旅はどこまでも続いた。列車はひたすら無辺の密林を走り、生命の大合唱がはてしなく車窓に展開した。天を衝《つ》くような巨木に穿《うが》たれたトンネルを潜った。黄色い熱帯睡蓮《すいれん》が咲き誇った池や、数知れぬ蚊柱が林立する沼を水飛沫をあげながら横切った。食虫植物ならぬ食獣植物の餌食になって溶けゆくジャガーの子供を見たし、屋根に大蛇がどすんと落ちてきたり、白い猿が窓から闖入《ちんにゅう》して旅の供となったこともある。グロテスクな万華鏡の内部に閉じ込められているようだった。時折、ポイントが切り替わって、列車は不意に進路を変える。何番目かのポイント脇の信号機は、蔓に巻かれて蔦《つた》に包まれ、半ば有機物に変身を遂げかけていた。

乗り合わせた客が次々に食べ物を恵んでくれたおかげで飢えは凌げたが、口に合うものばかりではなかったし、必要なだけの栄養が補給できているとも思えなかった。このままでは保《も》たない。倒れるかもしれない、という不安は、U＊＊＊＊＊駅のホームに降り立った時に現実となる。不幸中の幸いというべきか、密林で最も大きな町だった。

駅前の診療所に運ばれ、点滴を受けた。口髭《くちひげ》を生やした初老の医師はこの地方独特の言葉を話したが、さすがに彼もいくらか理解できるようになっていた。

——安静にしていなさい。

——大丈夫。

そう繰り返すばかりで、彼がどこからきたのか、何者なのかといったことは訊こうとしなかった。

——ここは、どこですか？

何日目だったか、彼は意識が清明になったところで尋ねてみた。医師は、U＊＊＊＊＊＊だと答えてから残念そうに付け足した。

——君はこんな町にくるつもりはなかったんだろうね。

——迷ったんです。

そう言うと、頷いた。

——君がやってきたところへ、まっすぐに戻るのはとても難しいと思うよ。

——どうしてですか？

——線路がないだろうから。

ああ、やはりな、と納得した。

——では、この町に列車ほどもある大きな鳥が飛んでくることは？

医師は、げらげらと笑った。

——そんな鳥は見たことがないし、噂に聞いたこともない。


日暮れに、列車が到着した。診療所と駅は狭い通りを隔てているだけなので、駅名を告げる声がはっきりと聞こえてくる。もうこの後、U＊＊＊＊駅を発着する列車はなく、小さな町の人々は夕餉《ゆうげ》をすませると早々と床に就くようだ。八時にはほとんどの家の明かりが消える。

太い腕をした看護師がきて、点滴を取り替えてくれた。医師の娘だ。寡黙で無愛想だが、てきぱきとしていて動きに無駄がなく、彼のことをよく観察してくれている。

ありがとう、と言いかけた時、突然に雨が降りだした。稲光が瞬き、雷鳴が轟《とどろ》く。

このところ毎日、同じ時刻にやってくる驟雨《しゅうう》で、十分ほど狂ったように降りしきる。

——また森が育つわ。

彼女が窓辺で呟《つぶや》くのを聞いて、夜の密林の情景が浮かんだ。木々の幹は軋《きし》みながら逞《たくま》しさを増し、枝はさらに斜め上方に高く向かい、雨露で濡れた下草が立ち上がっている。いずれも目に見えるほどの早さだ。するすると蔓は伸び、音をたてて茂みは深まり、森中に生命の息吹が満ちて、生暖かい風が渡っているのだろう。

そんな営みに感応して、あらぬ方にレールが伸びる。大鎌を振り下ろし、刈っても、刈っても伸びる。雨が降るたび、匍匐《ほふく》性の植物のように。

密林の奥へ、奥へ。今夜また、森で線路が育つのか。

この先に待つ旅路の長さを、彼は嚙《か》み締めた。

テツの百物語

まだ怪談シーズンには早い六月半ば。

梅雨の只中《ただなか》の、じめじめした夜のこと。

五人の物好きが週末に集まり、百物語と洒落《しゃれ》込んだ。

二人は会社員、一人は中学教諭、一人は大学生、一人はフリーター。

揃って独身男。いずれも二十代で年齢が近いこと、怪談話が好きなことの他に、もう一つ共通点があった。彼らは全員がテツと呼ばれる人種だった。鉄道に乗ったり、その写真を撮ったり、その模型を造ることを趣味としている連中である。

知り合ったきっかけは、鉄道ファン向けに中学教諭の円藤《えんどう》が設けた〈鉄道よもやま話〉というウェブサイトだ。そこの掲示板で、鉄道がらみの怪談が話題になり、なかなかの盛り上がりをみせた。ぞっとしないでもないものから、笑える与太話まで、鉄道をからめた怪談だけでも結構なバリエーションを楽しむことができた。

そのうち参加者の一人――製菓会社に勤める中辻《なかつじ》――が「一度、鉄道怪談のオフ会をやりませんか」と声をかけたところ、管理人の円藤を含めた四人がのってきた。そこで、季節はずれの怪談の会が催されることになったのだ。最初は都内の居酒屋にでも集まろうとしたが、それでは気分が出ない。参加希望者の住所を聞くと、中辻の家を中心にして五十キロ四方に散っていたので、「では、言い出しっぺの私のところで」と相成った。

「むさ苦しいところですが、辛抱してくださいね」

中辻が言うと、酒造会社勤務で最年長の根来《ねごろ》が怒るふりをした。

「広いじゃないですか。階下に三部屋はあったでしょ。で、二階には四部屋。こんなお屋敷に独り暮らしとは、うらやましい」

「祖父譲りのボロ家に、お屋敷は皮肉ですよ。梅雨は雨漏りで悩ましいんです」

「でも、いい。電車の音が聞こえるのも素敵だ」

中辻宅は線路脇ではなかったが、踏切の音がほどよく聞こえるところにあった。十五分に一度ぐらいの間隔で、列車が通過する音がする。それもほどよい大きさで。

「ま、広いのが取り柄ではありますけれどね。学生時代には悪友の溜《たま》り場になっていました」

「悪友の溜り場ですか。今夜もそうですね」

都内の大学に通う木津《きづ》が言うのに、円藤が反論した。

「木津さん、人聞きがよくない。これはダンディな趣味人の会ですよ。学生が親に隠れて酒宴を開くわけではありません」

アルバイト先のコンビニから駈《か》けつけた古橋《ふるはし》が笑う。

「うわぁ、ダンディな趣味人なんて言われたら、俺、帰らなきゃ。失礼しました」

「待て、古橋君」中辻が制した。「君だけは帰さないよ。お宝映像を持参しているんだろ。どうしても帰るというのなら、それだけは置いていってもらう」

「冗談っすよ。ちゃんとビデオの解説もしますから、いさせてください」

「よし、いさせてあげよう。ビールも飲み放題だ。ただし、酔い潰《つぶ》れて肝心の話ができなくならないように」

「はい。――あ、用意、手伝います」

めいめいが持ち寄ったもの、中辻がケータリングで取り寄せたものが、ずらりと食卓に並んだ。置ききれない寿司桶《おけ》が畳の上に溢《あふ》れる。ビールで乾杯をして、宴《うたげ》が始まった。ネットの掲示板で馴染《なじ》みになっていたおかげか、初対面とは思えぬほど打ち解け、雑談の花が咲いた。同好の士なので、交換すべき情報もたくさんある。

柱時計の針が九時を回ったところで、円藤が切り出した。

「そろそろ本題に入りましょうか。今夜は揃って中辻さんのお宅に泊めていただくから、焦らなくてもいいんですが、このままだと情報交換やら自慢話をしているうちに夜が明けてしまう」

四人は賛成した。

「そうですね。古橋君のビデオ上映もあるし」根来は声を落として「あまり夜が更けると、本当に怖い」

中辻が、すっと立ち上がった。

「根来さん、そんな臆病《おくびょう》でどうするんですか。うんと怖くなるように、これから演出してさしあげますよ」

いったん部屋を出た主《あるじ》は、今宵のために購《あがな》った小道具とともに戻ってきた。フリーマーケットで見つけたという真鍮《しんちゅう》の燭台《しょくだい》を盆にのせて。五つの燭台には、それぞれに新しい蠟燭《ろうそく》が立っている。

「どうです。雰囲気が出ますよ。百物語に蠟燭の明かりは欠かせません。作法どおりにやりましょう。一人が語り終えるごとに、一つずつ火を消していくんです。すべての蠟燭が消えた時、部屋は真っ暗になって——」

「怪異が出現する、ですね？」古橋は目を輝かせた。「いいっすねぇ。そういうの、一度体験してみたかったんです。期待しちゃうなぁ。——ねぇ、木津さん」

「うーん、マジ、怖いかも」

「百物語というのは、円藤さんのアイディアでもあるんです」中辻は言う。「掲示板で、ずいぶんと色々な怪談が出たでしょ。あれを数えたら、ちょうど九十五話あったんです。そんなに、と驚きますよね。そして、今夜これから私たち五人が五話を語る。合わせると、ぴったり百話になるわけです。一夜で百の怪異を語るのが正式なやり方なんだろうけれど、そのへんは妥協しましょう。五人で何十ものネタは出ないもの」

「正式なやり方って……そうでしたっけ？」

木津は何かひっかかるふうだ。

「そうだ」と円藤がデジタルカメラを取り出した。

「これは絵になる。写真に撮ってサイトにアップしましょう。お顔は映さないようにします。かまいませんね？」

燭台が部屋の四隅に一つずつ。片づけられた膳《ぜん》の上に一つ置かれた。電灯を消して、写真撮影。

「皆さんの首から上は入らないようにしたんですが……」円藤は苦笑する。「なんだか不吉な写真になってしまいました」

木津が液晶モニターを覗《のぞ》き込む。

「円藤先生。これ、マジで怖いです」

一番手は私が。

ええ、言い出しっぺですから。ただし、大した話は用意していませんよ。あまり期待しないでください。前座を務めさせていただきましょう。

迫力がなくて恐縮なのですが、人から聞いた話です。話してくれた人はテツでも何でもなくて、どこの路線のことかは判りません。本線とは名ばかりの実質ローカル線で、十年ほど前に路線改良があったところらしい。

北海道なのか、九州なのかって？　知りません。知人の知人の知人が話したものですから。テツなら気になるのは判りますが、そういうディテールを詮索《せんさく》するのはやめましょう。とある特急列車で起きた怪奇現象ということで進めさせてください。いいですか？　ええ、そこには特急が走っているんです。一応は本線ですから。

霊感の強い女の子が、列車に乗っていました。女の子といっても、女子大生です。昔から死んだ人を視ることがあって、旅館やホテルで〈やばい部屋〉に通されると、「変えてください」と頼むことがあったそうです。

その日最終の特急で、車内は空いていました。同じ車両に乗り合わせたのは、せいぜい七人ほど。彼女は、かなり後ろの座席に座っていて、雑誌を読むでもなく、音楽を聴くでもなく、ぼうっとしていたそうです。

列車は山峡《やまかい》を走っていて、窓の向こうは真っ暗です。それでも微《かす》かに見える景色を眺め、ここはどこかしら、この前に乗った時と少し様子が違うみたいだけれど、と思っていたら、車両の中程からおかしな声が聞こえてきた。南無阿弥陀仏《なむあみだぶつ》、南無阿弥陀仏。お念仏です。いったい何だろう、と首を伸ばしたその時です。

すっ、とね。

前から何か、飛んできたんです。扉を突き抜けて、通路をまっすぐ、こちらに。人でした。白っぽい服を着た半透明の女が、ものすごい勢いで通路を飛んで去りました。一瞬のことでしたが、はっきりと視た。思わず「ひっ」と短い悲鳴をあげてしまったそうです。

女は、虚《うつ》ろな目をしていました。あらぬ方へ視線を投げて、何かに戸惑い、驚いているようにも見えた、と言います。あれは何、と振り返ってみても、そこには後部の扉があるだけ。

ああ、また視てしまった。あれはこの世の外にいるものだ、と確信する。気がついたら両手を合わせ、南無阿弥陀仏と唱えていました。

すると、前の席から誰かやってくる。袈裟《けさ》をまとった恰幅《かっぷく》のいい僧侶《そうりょ》でした。

「視たんですか？」と尋ねられて、「はい」と答える。

「あれは何ですか？」と問い返したら、真顔で言われた。

「あやかしです。成仏できずに迷っているものかもしれません。いつもこのあたりで現われます。私はこれで三度目だ。下り列車では、反対側から現われる」

いつも同じ場所で出現するので、そこにさしかかる前から数珠《じゅず》を握っていたという。

「鉄道事故か自殺で亡くなった人でしょうか？」

訊《き》くと、僧侶は首を振った。

「このあたりは先月線路が付け替えられたばかりで、それ以来、事故や自殺はないはずです。何なのか判らない。昔の線路を走っていた時は出なかったんですがね」

他の数人の乗客は、異状に気がつかなかったようなので、二人はこそこそと小声で話したそうです。

彼女は、半年後にまたその列車に乗ることがありました。あやかしのものに、また出喰《でく》わすのか、と身を固くしていたのですが、それは現われませんでした。いったい何だったのかは、判らないままです。

電車を突き抜ける幽霊の巻——でした。

蛇足ながら、私の仮説を聞いてください。この幽霊らしきものは、線路の付け替え直後にのみ姿を見せた。目撃したのは、霊感の強い二人の乗客だけのようですが。これって、もしかしたら……。

新線を敷くために山道を切り崩したらしいので、その道に縛られていた霊魂ではないでしょうか。地縛霊というやつです。幽霊当人は道端に佇《たたず》んでいたはずが線路になったものだから、電車をすり抜けるようになったのかもしれません。ならば、戸惑ったような、驚いているような表情を浮かべていたのも頷《うなず》けます。

え？　そうそう。新線ができると、これまでなかった速度で走ってくる電車をよけきれない鳥が、運転席の窓にぶつかり、窓がその血飛沫《しぶき》で汚れると言うでしょ。バードストライクというやつです。幽霊も鳥と同じなんではないでしょうかね。その女の子が半年後に乗った時には、もう特急列車にも慣れて、避けられるようになっていた、と考えれば説明がつきます。

は。

いや、本当に蛇足でした。

お次と交替します。円藤先生、お願いできますか？――その前に蠟燭を消さなくては。

中辻さんのお話は、最後に理屈がつきましたね。なるほど、と納得してしまいました。いかにもテツらしい仮説です。どこの路線なのかが判っていれば、現地調査でその正否を確かめられたのに、残念ですね。

おや、あの音は……。

雨ですか。降ってきましたね。怪談の夜にふさわしい。

私の話は、とてもシンプルで古典的なものです。まるで捻《ひね》りがない、とクレームをつけないでくださいよ。

死んだ祖父から聞いた話です。

サイトの自己紹介にちょこっと書いてあるとおり、私の祖父は国鉄マンでした。私がテツになったのは、隔世遺伝かもしれません。鉄道マンになろうか、教師になろうか、と迷ったこともあります。

祖父は、車掌ひと筋の鉄道人生でした。定年退職してから、こんな話をしてくれたことがあります。小学生だった私を怖がらそうとしたわけでもなく、晩酌をしながらの独り言のようでしたが……。

四十代の初め、貨物列車に乗務していました。鉄道の輝かしい時代で、貨物輸送がピークを迎えていた頃です。EF15が六十両もの貨車を牽引《けんいん》していたそうですね。今では考えられない長大な編成です。

その最後尾に連結された緩急車に祖父は乗っていました。切符を売ることもない、乗客から問い合わせを受けることもない。貨物列車の車掌の仕事とは、非常の際に後続列車を停止させること、それのみです。つまり、何も起きなければただ乗っているだけ、という業務なわけです。

楽といえば楽。でも、決して愉快な仕事ではありません。とにかく暇なんです。夜通し走る列車の最後尾で独り。話し相手もいないし、することもない。祖父は時代小説が好きだったので、やたらと本を読んで、とうとう目を悪くしてしまいました。明かりは不充分だし、どうしても揺れますからね。

祖父が心安くしていた先輩の一人は、シサクにふけっていました。判りますか、詩作。ポエムを書くんです。若い頃は文学青年だったとか。寡黙な人で、車掌区で集まった時も、談笑に加わらずに煙草をふかしている、というタイプです。職場ではいささか浮き気味だったけれど、優しく面倒見のいい人だったので、祖父は慕っていました。その先輩が家庭の事情で退職した時は、淋《さび》しい思いをしたそうです。

ある夜のこと。いつものように緩急車で山手樹一郎《やまてきいちろう》を読んでいたら、どこからともなく甘辛い匂いが漂ってきた。四月でした。はて、これは春の香りか、と思いかけたが、そんな取り留めもないものではない。車内には消えたストーブがあるっきりで、匂いの元など何もないのに。でも、それは記憶にある匂いでした。

おかしいなぁ、と思っていたら、何かが顔の前をゆっくりと流れていきました。目を凝らして見ると、薄紫色をした煙がたなびいている。その煙が香っている。

ああ、そうか。

判りました。煙草のピースです。例の先輩が愛飲していたので、喫煙をしない祖父もそれによく馴染んでいたのです。

しかし、何もない空間からピースの煙が沁《し》みだしてくるのは合点がいきません。香りはじきに薄らいでいったんですが、不思議に思いつつ、先輩はどうしているだろうか、と懐かしい気分にもなったそうです。

翌日、青森の車掌区に着いた祖父は、祖母からの電話を受けます。それは、祖父がお世話になり慕っていたあの先輩が、昨夜遅くに脳梗塞《のうこうそく》で急死した、という報《しら》せでした。その方が息を引き取った時間は、祖父がピースの香りを嗅《か》いだ時間と一致していた、ということです。

ご静聴、ありがとうございました。

もう一本、消しましょう。私が？――では。

かなり暗くなってきましたね。ムード満点だ。ここらで上映会といきますか。

まだです。

もうすぐ。

だいぶ山が深くなってきたでしょ。霧雨が降っているし、日が暮れてきてるし、何だかモノクロ画像みたいになってきました。ちょっといい感じです。

根来さんは、写真専門ですか？　ビデオもいいっすよ。音が録《と》れるもの。三脚立てておいて、カメラを持って車内を移動してもいいし。車両が撮れないと駄目ですか？

そのトンネル……いや、違う。

こいつを通り過ぎるとすぐに、もう一つトンネルをくぐります。それを抜けて五秒後に問題のシーンがあるんです。ほんの一瞬のことですから、よーく注意して観ていてくださいよ。

ディーゼルエンジンが唸《うな》ってますね。このへん、三十三パーミルの上りなんです。しばらく続きます。ＳＬの時代は難所だったところです。

あ、根来さん、向かいの山からトロッコ列車を狙ったことがあるんですか？　登るの大変だったんじゃないっすか？　いい写真が撮れるらしいですね。

はい、出ましたね。そして……もう一つトンネル。五百メートルぐらいのものです。

えー……ちょっとカーブして……もう少し……はい、出口が見えてきました。そろそろカウントダウンですよ。

はい、五、四、三、二……。

今。

判りました？　中辻さんと木津さんは視えたんだ。円藤先生と根来さんは？　さっぱり判らなかった。そうですか。じゃあ、巻き戻してみますね。

……と。

ほい、ここから。

五、四、三、二……。

停めます。

さて、どこに映っているでしょうか？　え？　そう、画面の右上です。

ここですよ、ここ。木の、このへん。指で輪郭をなぞりますよ。ほーら。ね？　子供の顔でしょ。目があって、鼻があって、口があって。

こんなの、茂った木の葉がそう見えているだけだ、と思うでしょ？　ところが、そうじゃないんです。ちょっと巻き戻して……もう一回、再生しますよ。さっきのところを観ていてください。

……どうです？　もういっぺん。

……きますよ。ほら、判りましたね？　この子、列車を目で追ってるでしょ。だんだんと顔の向きが変わっていくし、目玉が右から左へ動くの、気がつきました？　単に木の葉が子供の顔のように見えているだけならインチキ心霊写真だけれど、これはモノが違いますよ。

いや、すぐには判りませんでした。ぼけーっと眺めているうちに、げっ、と思ったんです。いやぁ、鳥肌立った。テツのビデオにも出るんだって、びっくりしました。

え？　いや、信じてます。これは錯覚じゃありませんって。本物っすよ。きっと鉄道好きの子供の霊じゃないですか。そう思ったら、なんか健気《けなげ》っていうか、可愛いじゃないっすか。

えー、とりあえず、以上です。

峠越えの最後まで観ます？　あ、はい。百物語が優先ですね。じゃ、また後で。

さっきのが最終電車ですか。もう帰れなくなりましたね。ここに幽霊が押し寄せても。泊めていただくしかない。

それにしても、蠟燭の演出効果は大したものですね。さっきから、皆さんのお話に呼応して、山場がきたところでゆらりと揺らぐんです。恐ろしくなってきました。鉄道心霊ビデオなんてものも登場して、ますます盛り上がってきました。最後になるのは怖いので、第九十九話目を引き受けます。木津君、悪《あ》しからず。

以前、後輩の女子社員から聞いた話をします。彼女が中学生の時の体験談です。親戚《しんせき》の家に遊びに行った帰り、父親が運転する車が踏切までやってきました。深夜でしたが、ちょうど貨物列車がやってくるところで、遮断機が下りた。カンカンという警報を聞きながら、助手席から前を見ると、線路の上に人がいるんですよ。黒っぽい服を着た中年の女性が蹲《うずくま》って、じっとしている。彼女は驚いて、父親の肩を叩《たた》きました。そこは、つい三日ほど前にも鉄道自殺があった場所だったんです。

父親は窓から「何をしている！」と叫びましたが、女性は動かない。すっかり覚悟を決めてしまっている様子です。

「パパ、助けて」と彼女は哀願する。でも、貨物列車はすぐ近くまできていました。とても間に合わない。

警笛を鳴らすこともなく、列車は轟音《ごうおん》とともに踏切を通過しました。父と娘は、正視に堪えず顔を伏せます。自殺者に気づいた列車は急停止するかと思ったのですが、そのまま走り去ってしまった。父娘《おやこ》が恐る恐る顔を上げてみると——

女性は、線路脇に立っていました。そして、踊るように地団駄を踏み、上体を揺すっている。とっさに身をかわし、死にきれなかったことを悔やんでいるらしい。ついにはしゃがみ込んで、顔を両手で覆った。声は届きませんが、すすり泣いているようです。

放っておけず、父親は車から下りて女性の許《もと》へと向かいます。娘は助手席に座ったまま、なりゆきを見守りました。

「待ちなさい」

呼び止めた。しかし、自殺に失敗した女性はその声を無視して、線路の向こうへ去ろうとしました。柵《さく》をくぐり、化学工場の塀が長く伸びた暗い道へ。黒い影が、闇に溶けていきます。

父親は線路を渡って追いましたが、ほどなく腕組みをして戻ってきました。女性がどこにもいなかったんです。あり得ないことでした。いくら暗い道とはいえ、ところどころに常夜灯があるし、姿が見えなくなるわけはない。それなのに、かき消えてしまった。幻を視たのだろうか、と父娘は不思議がるばかりでした。

二人が見たものは、何だったか？　数日前に自殺した女性だったんですよ。

同じ人影を目撃する者が、何人も現われましてね。そのうちの幾人かが、「あれは間違いなく自殺した人だ」と断言しました。自殺を遂げた後も、現場に想いが残っていたわけです。

死のうとしては気が変わり、生き延びては、また線路に戻る。おそらく、そんなことを何度も何度も繰り返したんでしょう。どれだけ苦しく濃密な時間だったことか。想像するだけでも息が詰まります。だから、死した後も……。

怪談話など、たいていは愉快な法螺《ほら》なのでしょう。それでいい。しかし、この話だけは、そんなこともあるかもしれない、と思えてしまうのです。

では、消します。

……暗くなったな。

僕が最後になってしまいましたね。

そろそろ十二時ですか。何かが起きそうな気配がしてきましたけれど、大丈夫かな。

根来さんのお話は、踏切がらみでしたね。ぞくっときました。僕は、踏切が怖いんです。あることを経験してから。それを聞いてもらいたくなりました。別の他愛ない怪談を考えていたんですけれど。

ええ、これは本で読んだことでもなければ、友だちの友だちの友だちの身に起きたことでもありません。僕自身の話です。ただし、怪談と言っていいものかどうか……。気味のよくない話、というだけなのかな。とにかく、聞いてください。

高校に入って、まもなくのこと。

夜の十時過ぎぐらいに、アイスクリームが欲しくなりました。春なのに、妙にむしむしと暑い日だったんです。近くのコンビニまで、ふらりと出ました。歩いて十分ほどのところです。

遅い時間だったので雑誌の立ち読みもせずに、アイスを買ったらすぐに帰りました。生暖かい風が吹いていました。何となく嫌な感じの風でした。

変な夜だよな、と思いながら踏切までくると、ちょうど電車がくるところです。カンカンカンと、警報が鳴っていました。十時を回っているというのに、上りと下りが揃ってやってきているらしく、矢印が二本とも点灯していましたが、それは別にどうってことない。立ち止まって、電車が通り過ぎるのを待ちました。

まず右手から上りの電車がやってくる。それが踏切に入った時、踏切の向こう側に誰かがやってきました。サンダル履きの足が見えたんです。ごく日常的な風景ですよね。でも……。

背筋に悪寒がしたんですよ。ぞくっときて、身顫《みぶる》いしました。何が怖いのか自分でも理解できない。なのに、何故だか怖い。とても奇妙な感覚です。そのサンダル履きの足が、僕はわけもなく悍《おぞ》ましかった。きた道を引き返そうかと思うほど。

上りが踏切を通り過ぎる寸前に、下りがやってきました。どちらも四両編成だから、二本の電車が僕の視野をふさいでいたのは、ごく短い間です。でも、一分間ぐらいはあったように感じられました。それこそ、無気味で濃密な時間だったわけです。

下りが通過し、警報がやんで、遮断機が上がります。僕は、うつむいて歩きだしました。向こうからくる人と目を合わせたくなかったからです。でも、視線を落とす前に、ちらりと見てしまった。サンダルの主は、学校で見掛ける顔でした。二年生だか三年生だか知りませんが、同じ高校の先輩です。陰気な印象でしたが、怖そうな人ではなく、因縁をつけられたらどうしよう、と警戒したわけでもないのに……。あんなことは初めてです。

僕は何を恐れたのでしょう？　答えが出ます。その先輩が、かつて通っていた隣町の小学校に侵入して、担任だった先生や児童をナイフで刺したんです。覚えていらっしゃいますね？　はい、二人が亡くなりました。日本中の誰もが知っているあの事件です。

動機は「血が騒いだから」。皆さん、犯人が連行されていく場面をテレビでご覧になりましたね。少年犯罪ですから顔は放送できず、護送車に乗り込む足だけが何度も放送されました。胸がむかつくようなスローモーションで。被疑者は、逃走防止のために靴はサンダルに履き替えさせられている。僕が踏切で見たままの足でした。理由が判らないまま、恐ろしいと思った、あの足。

直感したのか、予見したのか……。僕は、先輩が顔も人格もなくして、サンダル履きの足だけになることを、あらかじめ知ったんです。あの夜、あの踏切で。

終わりです。

最後の蠟燭を、吹き消します。

暗闇の底で、ほおっ、と誰かが吐息を洩《も》らした。

「何か……感じますか？」

古橋が囁《ささや》くように言う。

夜の静けさの中、そぼ降る雨の音だけが聞こえている。

「いえ、何も」

根来が答えた時、それは起きた。

踏切の警報が鳴りだした。雨に濡《ぬ》れる警報灯が、赤く滲《にじ》んで点滅する様が、全員の目に浮かぶ。

「終電は行ったはずなのに。こんな時間なのに」

中辻は狼狽《うろた》え、木津が中腰になって窓辺に寄るのを制した。

「やめた方がいい。見ちゃいけない」

警報が異常だ。さっきまでより、ずっと大きな音をたてている。何かに怒っているかのように。しかもそれは、次第に音量を増していくではないか。さらに、遠くから列車がやってくる音が。

「まずい！」

円藤が叫ぶ。

「ど、どうなってんすか？」

古橋は、畳に突っ伏した。

カンカンカンカン
列車が接近する。

カンカンカンカン
家が振動し始めた。

カンカンカンカン
窓の向こうに、光が。

「手を――」

言い終わらぬうちに、円藤は隣にいた木津の右手をしっかりと握った。そして、自分の右手を根来に差し出す。皆が、次々に手をつないで輪になった。

光の帯が、窓のすぐ下を通り過ぎる。

パンタグラフの影がよぎり、警笛が高々と鳴る。

レールの音が続く。

数十両も連結しているように。

カンカンカンカン
赤い警報は、いよいよけたたましい。室内で鳴っているのだ。

何かが迎えにきた、どこかへ連れていかれる。

百話まで語ってはならなかったのだ。遊び方を間違えた、と彼らが後悔をした途端に——静けさが戻ってきた。空から静寂が落ちてきたかのように。

一人ずつ、ゆっくりと顔を上げる。無事ですんだらしいことを確信してから、ようやく手を離した。

「今のは……いったい……」

放心した表情で、中辻が言う。

「助かったらしいですね」

木津の声は、まだ顫えている。

「幻覚や幻聴じゃないよね？」

根来は、ごしごしと目を擦《こす》る。

古橋の額には、畳の目がくっきりと転写されている。

「何だかさっぱり判りませんけど」

彼は、窓を横目で見た。

「音だけでも、録ればよかったっすね」

貴婦人にハンカチを

カメラやビデオの放列を向けられながら、〈貴婦人〉は黒光りする優美な姿をホームに横たえていた。発車時間まで、まだ十五分ほどある。新津《にいつ》への旅を前に、乗客たちはまず〈彼女〉の撮影会を楽しんでいるのだ。父親たちは、運転台に上げてもらったわが子に目を細めながらシャッターを切っている。英嗣《えいじ》はそんな様子を離れて見ながら、ずり落ちるショルダーバッグを肩に掛け直した。

——均整のとれた優美な車体、さっそうと走るその姿から〈貴婦人〉と呼ばれたC57型、か。確かにすっきりした形をしている。

これに乗るため、わざわざ首都圏からやってきている者も多いのだろう。しかし、英嗣は違う。東北をふらふらと旅しているうちに会津若松《あいづわかまつ》にたどり着き、そこで初めて磐越西線《ばんえつさいせん》でSLが復活運転していることを知って、気まぐれに乗ってみることにしたのだ。目的地もなく、急ぐこともない一人旅。

定刻の15時13分になった。高らかに汽笛を鳴らして、列車はゆっくりと動きだす。二十三歳の英嗣がＳＬに乗るのはこれが初めてなのだが、それでも郷愁めいたものを覚えるから妙なものだ。ただ、スピーカーを通して車内にドラフト音を流すサービスには苦笑してしまう。演出過剰ではないのか。

新津までは三時間十一分の旅である。もの珍しいのも最初のうちだけで、そのうち飽きてくるだろう。そうなれば、うとうと眠ろう。六割ほど埋まった車内には、腕まくりをしてカメラを構えた乗客もちらほら見受けられたが、自分はうたた寝をしながらのんびり汽車に揺られていられれば満足なのだ。

それにしても、この〈ＳＬばんえつ物語〉号とやら、思ったよりも乗車率が低い。六月最初の土曜日、つまりゴールデンウィークと夏休みの狭間《はざま》という時期のせいであろうか。意外と簡単に切符が買えたので「いつもこうですか？」と駅員に訊《き》くと、新津発会津若松行きの上りの方は完売だったという。

楽でいいや。四人掛けのボックスを独占できるし、と思っていたら、切符を片手にした女性が、きょろきょろしながら近づいてきた。このボックスの客かな、と横目で窺《うかが》った英嗣は、「あっ」と小さな声を発した。身につけた小豆《あずき》色のジャケットに同系色のスカートは色もデザインも地味だったが、彼女の顔立ちが審美眼に強く訴えたからだ。可憐《かれん》。いや、違うか。あっさり美人と言ってしまうのも、しっくりこない。どう表現すればいいのだろう、と悩む彼の横で彼女は立ち止まった。

「ここは――」

そう聞いた瞬間、英嗣は前の座席に投げ出していた両脚を折りたたんだ。

「空いています。失礼しました」

彼女は軽く会釈をして、彼の斜め前に腰を下ろした。優雅な動作だ、と思ったところで閃《ひらめ》いた。

――貴婦人だ。

そう呼ぶのがふさわしい。高価そうな服や宝飾品で着飾っているわけではないし、上流のマダム然としてもいない。むしろ質素ないでたちなのだが、理知的な目許《めもと》と品のある口許、艶《つや》やかな黒髪、細い首筋、しっとり落ち着いた印象が、英嗣の目には貴婦人に映った。心持ちレトロ調に改装されている車内を見渡すふりをしつつ、さりげなく観察する。年齢は三十代前半か。左の薬指に指輪はない。旅行鞄《かばん》を持たずに、ハンドバッグを提げているだけということは、会津若松に住んでいるのかもしれない。地元の人間が観光用のＳＬに乗っても、おかしくはない。しかし、女性が一人でというのは珍しいのではないか。

——もしかすると、次の喜多方《きたかた》あたりで彼氏が乗り込んでくるのでは……。いや、デートにしては恰好《かっこう》が地味だ。

それに、全く楽しそうではない。むしろ憂いを含んだ顔をしているではないか。その表情にまた気品があって魅力的だ。

用事があって乗っているだけか。仕事は何をしているのだろうか、と上目遣いで詮《せん》索《さく》していたら、まともに視線がぶつかった。目をそらしたらバツが悪いので、慌てて何か話しかけることを探す。

「SLって、違いますね、やっぱり」

彼女は、わずかに小首を傾げる。

「この振動ですよ。ゆらゆらと前後に揺れるじゃないですか。ピストンの運動が客車にも伝わっているんですね。こういうのって、他の乗り物では味わったことありません」

「そういえば……ああ、そうですね」

「ね。面白いですよね」

それしきの会話で、英嗣の胸は、ぼっと熱くなった。こんなチャーミングな女性と言葉を交わしたのは久しぶりだ。大学二年の時にガールフレンドに派手にふられて以来、女性とはとんと縁がなくなっている。

大正風をイメージした制服の車掌が検札にきた。彼女が差し出した切符は、会津若松から新津までとなっていた。終点まで二人で旅ができるのだ、とうれしくなる。途中駅で連れが乗ってこなければ、だが。

右手の車窓では、磐梯山《ばんだいさん》が次第に後ろに去っていく。まだ平坦《へいたん》な会津盆地を走っているせいか、沿線に立つアマチュアカメラマンの姿は少なかった。山に入り、峠を越えるあたりで待ち構えているのだろう。ＳＬにも写真にも興味はないが、煙をもくもくと吐いて力走する機関車の雄姿を彼らが狙うことは想像がつく。

二十四分で喜多方に着いた。蔵とラーメンで有名な町というぐらいしか英嗣には知識がなかったが、思いのほか大勢の乗客が下りた。会津若松とセットで観光している客が多いらしい。車内の客の入りは、五割以下に落ちた。斜め前の貴婦人の連れは乗ってこなかったが、座席がかなり空いた。無人になったボックスもある。自分がそちらに移れば彼女は喜ぶのだろうと思いながらも、腰は上がらなかった。かといって、彼女の方が立つ気配もない。自分と向かい合っていることが負担ではないらしいことに少し安堵《あんど》した。

いぞ。

——おい、うるさがられない程度にもっと話しかけろよ。こんな機会、めったにな
頭の中で、もう一人の自分が偉そうに指示をする。承知してるさ、と咳払《せきばら》いをした。

「会津若松の方ですか?」

返事は「はい」と短い。

「新津までいらっしゃるんですね。僕はあちこち気ままに旅をしているんですが——

——」

「私は、たまたま一番早い列車がこれだったので乗っただけです。新潟に用事があって」

「お仕事で?」

「いいえ、お見舞いです」

それで浮かない顔をしていたんですか、と言いかけて口を噤《つぐ》んだ。納得がいったが、好ましい展開ではなかった。そういう時に、見知らぬ者からべらべら話しかけられたら不愉快かもしれない。それでも会話が途切れるのが惜しくて、重ねて尋ねてしまう。

「お友だちのお見舞いですか?」

貴婦人は愁眉《しゅうび》のまま首を振った。

「いいえ。私は小学校の教諭をしています。この春に新潟に転校した教え子が交通事故に遭ったと聞いて、駈《か》けつけるところなんです。お見舞いといっても……」

言いかけて、彼女は中断した。英嗣も黙る。どうやら脚を骨折して入院し、退屈をしている相手を見舞うという呑気《のんき》な状況ではないと察せられる。道中、楽しい会話で盛り上がり、あわよくば連絡先を交換するという魂胆は、木っ端微塵《みじん》に砕け散った。

——仕方がない。おとなしくしていよう。

この貴婦人のような女性教諭とお近づきになりたかったが、未練を残しながらも英嗣は気弱に諦《あきら》めた。その押しの弱さが災いして、片っ端から就職試験に落ちたんだ、ともう一人の自分が嗤《わら》った。

——ふん、鈍感な馬鹿よりはいいだろうが。

と反論する。それに、就職浪人を余儀なくされているのは、度胸のあるなしだけが原因ではない。何も為《な》さず、何も積み上げなかったツケが回ってきただけなのだ。人事部の試験官というのはさすがに人を見る目がある、とすら思う。

やむなく車窓を眺めることにした。列車は〈そばの里〉という幟《のぼり》がホームに翻った山都《やまと》駅を過ぎ、次の停車駅の野沢《のざわ》へとひた走っていた。山々の緑が眩《まぶ》しい。トンネルが頻出するようになり、窓を閉めてください、というアナウンスが流れた。閉め忘れた窓から白っぽい煙が車内に入ってくるが、石炭を選んでいるせいか不快ではなく、むしろSLに乗っていることが実感できて面白い。

線路際の草叢《くさむら》で、遠くの築堤で、鉄路と交差する橋の上で、三脚を立てた鉄道ファンの姿をたくさん見かけるようになった。写真を撮り終えた後で、大きく手を振る者もいる。彼らにすれば「馬鹿だな、SLに乗ったらSLが見られないだろう」と思っているのかもしれない。

野沢駅で十分停車する。英嗣はホームに出て背伸びなどをしたが、彼女は席を立たなかった。教え子のことで頭がいっぱいなのか。

再び走りだした汽車の揺れに身を任せながら、英嗣は観光パンフレットを開く。次にまとまった時間停まるのは津川《つがわ》駅だ。ここで機関車に給水をするのだ、とホームで鉄道ファンらしい乗客が話していた。津川には〈狐の嫁入り伝説〉が伝わっていて、毎年五月三日には扮装《ふんそう》をこらした〈狐の嫁入り行列〉が町を練り歩くそうな。色んな行事があるものだ。

右手に見えていた渓谷が、分水嶺《ぶんすいれい》を越えて新潟県に入ると左手に移った。阿賀野《あがの》川だ。新潟を映した川面《かわも》が、遅い午後の光にきらきらと輝いている。相変わらず沿線には鉄道ファンが目に付いた。並行する国道を走る車の中には、一ヵ所で撮影を終えた後、なおSLを追跡する〈追っかけ〉もいるようだ。手を振る人の姿も絶えない。子供だけでなく、若者も、老人も、うれしそうに手を振り、車内の乗客たちもそれに応《こた》える。

人はどうして、走り去る汽車に手を振るのだろう？　何がうれしくて、野良《のら》仕事の手を休めたり、幼子を抱いて沿線まで出てきたり、家の窓から顔を出して手を振るのか、英嗣はふと不思議に思う。

縄跳びをやめて汽車を見送る女の子二人に応えて、英嗣は大きく手を振って返した。就職先が決まらず、腐っていた気分が晴れていく。拗《す》ねるなんて馬鹿らしい、俺のペースで悠々といってやる、と開き直れそうな気がしてきた。誰かに手を振っているうちに。

「今の女の子たち、可愛かったですね」

そう貴婦人に話しかけた英嗣は、おやと思う。彼女は返事をせず、窓から首を出して去った方向を見やっていた。その唇が「駄目……」と動いたようだ。

「何か、ありましたか？」

訊くと、われに返ったように「え？」と言い、かぶりを振った。顔色が蒼《あお》い。まるで不吉なもの、ショッキングな場面を目にして愕然《がくぜん》としているようだ。それらしいものなど、なかったはずなのに。気になったが、不躾《ぶしつけ》に追及することは慎んだ。

二人は無言になった。空気が重い。ご気分でも悪いのですか、と尋ねそうになるが、それも憚《はばか》られる。日出谷《ひでや》駅を出て、長いトンネルをくぐった。眠ってしまおうか、と英嗣が思いかけた時に――

ハンドバッグの中で電話が鳴った。彼女はバッグごと持って立ち上がり、デッキに向かう。何の電話だろう、と好奇心が湧くこともなかった。

――どうでもいいや。

所詮、縁のない行きずりの人のことだ。

数分して、貴婦人は戻ってくる。そして、思いがけないことに「聞いてくださいますか」と話しかけてきた。何ごとかと訝《いぶか》りながら、英嗣は「はい」と座り直した。

「事故に遭った教え子は、智志《さとし》君というんです。二時間前の電話によると、頭を強く打って意識不明ということでした。とても危険な状態だったんです。集中治療室に入ったままなので、お見舞いに行っても顔も見られないと思っていました。それでも、じっとしていられなくて、近くに行ってあげたかったんです。私への手紙をポストに投函《とうかん》しに行こうとしてトラックに撥《は》ねられた、と聞いたせいもあるんでしょう。駅に駆けつけて飛び乗ったのが、この汽車です」

彼女は、機関銃のように捲《まく》したてる。その豹変《ひょうへん》ぶりに、英嗣は呆気《あっけ》にとられた。

「ですから、ずっとぼんやりしていました。車窓の景色も楽しめなかったし、失礼なことに、あなたが話しかけてくださるのもうわの空でした。ぼんやりと外を眺めながら、私が病院に着いたら、悲しい報《しら》せだけが待っているのでは、と心配でならなかったんです。線路際で子供たちが手を振るのを見ても、それに応える元気すらなかった。そうしたら——さっき、驚くものを見ました。畦道《あぜみち》にぽつんと、智志君が立っていたんです。わが目を疑いました。青っぽいTシャツと半ズボンのジーンズに野球帽。そんな男の子なんて、いくらでもいる。よく似た子だ、と思おうとしても、本人にしか見えないんです。帽子の庇《ひさし》に隠れて、顔は定かではありません。でも、私をまっすぐ見ているのが感じられました。そして、汽車がその子の前を駆け抜けるにつれて、顔がこちらを向くように動くんです。白いハンカチを振っていました。スローモーションのようにゆっくり、どこか不自然でぎこちない動きで。ハンカチを振っている人なんて、他にいなかったでしょ。それで、怖くなったんです。あの子は私にお別れをするために立っているんだ、と覚悟を決めました。駄目だったんだ、私は病院で息を引き取ったあの子と対面する、と観念したんです。そうしたら、先ほどの電話です。ああ、悲報の方から迎えにきた、と思いながら出てみると——意識が回復した、という報せでした。奇跡的に助かったんです。目が覚めて、智志君が最初に言った言葉は、何だったと思いますか？　信じられません。『夢の中で、汽車を見ていた』だったんですよ」

何と応えたらいいのか、言葉が見つからない。

——人の心と心は、そんな形で結びつくことがあるのか。

自分が生きているのは、つまらない世界じゃないらしい。

この列車に乗り合わせた幸運に、英嗣は感謝した。

津川の駅が近い、とアナウンスが告げる。

「〈狐の嫁入り〉ですね」

やがて彼はそう言いながら、ハンカチを差し出した。彼女は戸惑いを浮かべる。

「どういう……ことですか？」

「晴れた空から雨が降る、ということ。——あなたは今、笑いながら泣いていますよ」

天気雨が激しくなった。

黒い車掌

先頭車両には、八人の乗客がいた。静かに語らっている中年のカップルがひと組と、ぺちゃくちゃと賑《にぎ》やかな年配の婦人のグループ。みんなのんびりと旅を楽しんでいるふうで、特に変わった様子はない。

最前部はパノラマ風景が楽しめる大きな窓になっていて、運転席はなかった。ああ、そうだった、と梢子《しょうこ》は思い出す。始発駅のプラットホームで見かけたではないか。若い運転士がタラップを使って二階に上っていくのを。つまり、運転台に通じる階段は車内にはないのだ。

そっと後退《あとずさ》りして、デッキに出る。

もしもこれが普通の電車で、ガラス一枚隔てた向こうに運転士がいたなら、自分はどんな行動に出ただろう？　大声を張り上げて、「停めて、停めて！」と叫んだとも思えない。ただその背中を見つめたまま、何も言えずに立ち尽くしただろう。

なす術《すべ》なく、最後尾へと引き返す途中のデッキで、あるものが目に留まった。緊急停車用の非常ボタン。カバーを叩《たた》き割ってこれを押せば、百キロ近いスピードで快走している特急は動力を失い、ゆるゆると停まるはずだ。

——押せる？

壁のそれを見つめて自問する。とてもではないが、その勇気はなかった。この列車にテロリストが時限爆弾を仕掛けた、と信じる根拠でもあれば別だが。

肩を落として歩きだす。六両目に戻るまで、車内を見渡した。行楽シーズンからはずれたウイークデーのせいで、乗客は疎《まば》らだ。缶ビールを片手に車窓を眺めている者、雑誌や新聞を読んでいる者、隣同士でおしゃべりしている者、眠っている者。みんな落ち着いた様子で、自分が感じている得体の知れぬ不安を共有しているとは思えない。

五両目に、車掌がいた。ビジネスマン風の乗客に終点の到着時刻を尋ねられ、懇切丁寧に答えている。その傍らを、そっと通り過ぎた。

——また一段と黒くなっている。

梢子は背筋に悪寒を覚えた。

——あれ以上、黒くなりようがないぐらい黒い。

恐ろしくなり、足を早めた。

逃げるように六両目にたどり着くと、先ほどまで自分しかいなかった車内に人の姿がある。

「あっ」と声が出た。

「梢子！　梢子だね？　信じられないよ。こんなところで会えるなんて、すごい偶然だね」

眼鏡の奥で碧《みどり》色の目をぱちぱちさせながら、男は腰を上げた。ひどく驚いているようだが、口許《くちもと》には笑みが浮かんでいた。

「神様の悪戯《いたずら》かな。びっくりした」

相変わらず淀《よど》みのない日本語だった。父親がアメリカの軍属で、十二歳まで横須賀《よこすか》で過ごしたという彼は、ほぼ完璧《かんぺき》なバイリンガルだった。

「ほんと、驚いたわ」

よもやこの列車に乗り込んでくるとは思わなかった。

大学で日本文化を研究するため、二十二歳で日本に戻ってきた彼は、三年間の留学を終えて去年の春に帰国した。ここで出会うのは、あまりにも唐突だが——それでも、梢子は彼の出現をうすうす予想していた。

「久しぶりね。いつ日本にきたの、フレッド？」念のため訊《き》いてみる。「どうしてこの電車に乗っているの？」

別れた恋人は、歯切れよく答えてくれる。幼馴染《おさななじ》みの結婚を祝福するため、三日前に来日したこと。昨日、星沢《ほしざわ》高原のチャペルで結婚式に出たこと。せっかくここまできたので、屏風谷《びょうぶだに》温泉に立ち寄ろうと思い立ち、今この電車に乗っていること。一応の筋が通っているが、出鱈目《でたらめ》だ。

——嘘よ。

そのひと言が喉《のど》から出てこなかった。言っても仕方がない。

——結婚式の帰りで、これから温泉に寄ろうとしている人が手ぶらだなんて。他の車両の網棚に置いてきたのでもないでしょ。私は、一両目まで行って戻ってきたのよ。なのに、どこでもあなたと顔を合わせなかったじゃない。その風貌《ふうぼう》は見逃しようがないのに。もっともらしい話をこしらえて星沢高原から乗ってきただなんて、嘘もいいとこ。あなたは、どこからもこの電車に乗ってこられなかったはず。

白々しい嘘。そうと判っていても、澄んだ碧色の瞳《ひとみ》に見つめられると、何も言えない。

「君は、どうして？」

問い返されたので、ありのままを話す。ふと気まぐれな旅に出たくなり、派遣先の商社との契約が途切れたのを幸いと、宿も予約せず星沢高原に向かっていたこと。気が変わって、屏風谷の先まで行ってみたくなったこと。目的地は未定で、今夜どこで泊まるかも決めていないこと。

そう聞いても、「ちょうどいい。それならば僕と一緒に次の屏風谷温泉で降りないか」とフレッドが誘ってくることはあるまい、と思った。

「ふうん、そうだったのか。こういう奇跡みたいな偶然もあるんだね。少しの間だけれど、君に会えてよかった」腕時計を見る。「ああ、もう行くよ。本当に、君にまた会えてよかった。さようなら」

あっさりとしたものだ。非現実的なやりとりだった。こんなことが現実であるはずがない。

フレッドは、子供のように邪気のない笑顔のまま通路に出てきた。梢子は、すかさず脇に寄って道を開ける。すれ違う時、懐かしい体臭が微《かす》かに匂ってきて、さすがに切なくなった。

「偶然だ」

最後にぼそりと英語で呟《つぶや》いて、かつての恋人は扉の向こうに消えた。

初めて言葉を交わした時の情景が、ありありと脳裏に甦《よみがえ》る。大学二年の春のこと。

場所は構内のカフェテラス。一人でコーヒーを飲んでいたら、隣のテーブルにいた彼が「ちょっと、いいですか？」と話しかけてきた。それまで口をきいたことはなかったが、同じ文学部の学生だということぐらいは互いに知っていた。

「川崎《かわさき》先生は、きついそうです。みんなそう言います」

確かに日本文化史の川崎教授は、めったなことでは優の評価を出さないことで知られている。「そうらしいですね」と答えた。それがどうかしたのか、と思ったら。

「教えてください。〈きつい〉と〈厳しい〉は、どう違うのですか？」

流暢《りゅうちょう》な日本語を話す彼にも、その微妙なニュアンスの違いが判らなかったのだ。なんだ、そんなことか、と思ってすらすらと説明した。〈きつい〉というのは、こちらがつらく感じるほどシビアなことを表わし、単に意地が悪いだけのこともある。それに対して、〈厳しい〉にはもっと深い意味があって、シビアに接することが相手のためになる、といった愛情が込められている場合もある。自分は川崎先生の講義を履修したことがないので、先生が〈きつい〉のか〈厳しい〉のか知らない、と言うと――

「すごい。やっと理解できた」彼は大袈裟《おおげさ》に両腕を広げた。

「あなたが初めてですよ。そんなふうにはっきり答えてくれたの。とてもクレバーな答えです。何人かの友だちに訊いたんだけれど、みんなしどろもどろだった。『えーと、どっちもシビアだとしか言いようがないなぁ』なんてね」

「あ、〈きつい〉と〈厳しい〉の違いが判らないくせに、〈しどろもどろ〉なんて言えるんですね」

おかしくなって微笑んだら、彼もうれしそうに笑った。

「うん、これは好きな日本語なんだ。〈しどろもどろ〉って、マジック・スペル——魔法の言葉みたいじゃない。しどろもどろ、しどろもどろ、しどろもどろ、と言いながらお鍋《なべ》のスープを掻《か》きまぜたら、魔女が出てきそう」

掻きまぜる仕草がおかしかったので、梢子も真似をした。

「こんなふうにしたら、魔法使いのお婆さんが出てくるんですか？」

「そう。煙の中から、どろどろって」

そこから交際が始まり、一年半ほど楽しい日々が続き、幾夜かを共にし、やがて終わりがきた。喧嘩《けんか》をしたわけではない。会うことが惰性になってきたと感じた頃に、ちょうど彼の留学期間が終了したのだ。おかげで破局とはほど遠いきれいな別れ方ができた。そう思おうとしたが、心の奥に未練を押し込んでいたのだろう。最近、彼の写真を取り出して見ることが何度かあった。

カーブで列車が揺れる。梢子はあえてそれに逆らわず、崩れるように座席へ体を投げた。胸が、どきどきする。

「偶然だ」と言ったフレッドの声が、生々しく耳に残っていた。

腕時計に目をやった。次の屛風谷温泉着は14時30分だから、あと十五分少々。

——もう誰にも会えないだろうな。きっとフレッドが最後だわ。

梢子は、深い溜《た》め息をついた。たまらない気分になり、また瞼《まぶた》が熱を帯びる。

せめて景色でも眺めていよう。深緑がきれいだし、山間《やまあい》の温泉に着くまでにいくつか小さな駅を通過するだろう。そのホームに見知った人が佇《たたず》んでいるかもしれない。

——乗り越しなんて、しなければよかった。きっと、あれがよくなかったんだ。後悔しても、もう遅いのね。

旅行鞄《かばん》のポケットから切符を抜き出す。あの車掌が発券したものだ。行き先の変更を告げて追加料金を払った時、車掌はまだ青い制服に身を包んでいた。やや紺色に近いが、たしかに青だった。

——だんだんと黒くなりだしたのは、鷺之井《さぎのい》を出てから。

乗り越しの切符を買った後、車掌は二度やってきた。星沢高原で八人ばかりの乗客が降り、六両目には梢子一人だけになったのだが、律儀に顔を覗《のぞ》かせては、くるりと踵《きびす》を返していった。

最初は気のせいだと思った。車掌の制服が黒っぽくなったように見えたのだが、まさか着替えたわけでもあるまいし、差し込む光のかげんで印象が違って見えるのだ、と。

ところが、十分ほど後に見た時の彼の制服は、はっきり黒と形容するしかなかった。それだけでも奇妙なのに、制帽の庇《ひさし》が顔に黒い影を落として、ただならぬ雰囲気を感じた。乗り越し切符を買った時とは、人が違ってしまったように。のみならず、全身が煤《すす》けて、なんだか輪郭さえぼやけてきているようだった。

——錯覚じゃない。

そして、先ほど隣の車両で見た車掌は、星のない夜空よりもまだ黒い制服をまとっていた。喪服よりも黒い制服。そして、輪郭はいよいよ崩れていた。

異変が起きている。この列車の中でも、外でも、何かが着実に進行中なのだ。やがて——屛風谷温泉に到着するまでに——悲劇的な事態がわが身に振りかかるであろうことを梢子は確信するに至った。

——運命なのよ。

抗《あらが》いようがないものに身を委《ゆだ》ねている。大きな結末に向かって運ばれていくのを、彼女は感じていた。

ゴトリ、と扉が開く。

黒い車掌が立っていた。

恐ろしいのに、視線が吸い寄せられる。

数歩進んで、車掌は足を止めた。梢子との距離は、およそ五メートル。事務的な声で彼は告げた。

「御用があればお申し付けください。次は屛風谷温泉」

目が合った。庇が作った影の中で、車掌の双眸《そうぼう》は暗く輝いている。敵意や悪意を宿した目ではない。

「あの……」

思い切って話しかけた。

「はい？」

車掌は体をこちらに向ける。

何を尋ねたらいいのか、どう訊いたらいいのか迷う。次の瞬間、口をついて出たのは質問ではなかった。

「お仕事中に、すみません。もしよろしければ、ちょっと私の話を聞いていただけますか？」

「はい」

不審がるでもなく、畏《かしこ》まって頷《うなず》いてくれた。さりとて、どこから話せばいいものやら、梢子の方が少し戸惑う。

「その……私、車掌さんに乗り越しの切符を売っていただきましたね。星沢高原に着く前に」

「はい」

小さいが、張りのある声だ。

「急に気が変わって、屏風谷温泉よりも先に行きたくなって、一人で予定を立てずに旅行をしているので……」

そんなことは、どうでもいい。

「車掌さんに乗り越し切符をもらってから、おかしくなったんです」

何故だかあなたが黒くなっていく、とは面と向かって言えなかったので、列車の外で起きた異変について語った。

「星沢高原を出て、白樺《しらかば》林を抜けたところに小さな駅がありましたね。名前は覚えていませんけれど、お洒落《しゃれ》な赤い三角屋根の駅です。ホームの花壇にコスモスが咲いていました。その花の前に、私の母にそっくりの人がいたんです。もっと正確に言うと、私が写真で見て知っている若い頃の母にとても似た人です」

梢子は、三歳で母親と死別していた。だから、母の記憶はほとんどなく、その面影はもっぱら写真から得たものだ。ふっくらとした面立ち、親しみやすい柔和な目許、つんと上を向いた愛敬のある鼻。どれもよく似ていたので、列車が動きだした時は、中腰になって去りゆくホームを見たほどだ。

「その人は何をするでもなく、ただホームに立っていました。電車に乗るでもなく、誰かを出迎えるでもなく。おかしいな、と思いました。二十五年ほども前に死んだ母が、その頃のままで田舎の駅にいるわけがないんですけれど……。それにしても変。その人は、写真の母とそっくりのワンピースを着ていたんです」

車掌は黙ったまま、身じろぎもしない。彫像のように。

「鷺之井の駅でも、気になることがありました」

その次の停車駅だ。近くに原生植物園やハイキングコースがあるので、ハイカーらしい何人かが乗り降りした。そのホームに、やはり見覚えのある顔があった。

「幼稚園の時、私がとてもよく懐いていた先生がいました。やっぱり当時の姿のままで、赤いカチューシャをしているのも昔と同じ。あっと思って見ると、その人は私に向かって微笑んで、手を振ってくれたんです。バイバイしながら、小さく手を握ったり開いたり……。幼稚園から帰る時に、先生がいつもそんなふうに『さようなら、また明日《あした》ね』と送ってくれたことを思い出しました」

夢を見ているのではないか、と頰を抓《つね》りそうになった。さらに驚いたのは、遠ざかるホームの端に仲よしだったカズちゃんとユミちゃんがいたことだ。二人は幼いままで、幼稚園の黄色い帽子をかぶって、にっこりと笑っていた。

「夢を見ているのかしら、と目を擦《こす》りました。でも、うつらうつらしていて寝呆《ねぼ》けたわけじゃないし、もう一度よく見ようとしてもホームはみるみる遠くなってしまいます。今のは何だったんだろう、と不思議がっていたら、今度は……」

遮断機もない踏切に、小学校時代の友人を見た。三年生の時に「ずっと親友よ」と指切りをした涼香《すずか》ちゃんだ。その半年後に彼女の家は夜逃げ同然に町を去り、約束は果たされなかった。少し先にはどんな運命が待っているか判らないのだ、と梢子を恐怖させた苦い記憶のヒロインが、指切りをした日のままの姿で出現し、たちまち通り過ぎた。もしかしたら、踏切の少女も梢子に手を振ろうとしていたのかもしれない。

夢だ。現実であるはずがない。気をしっかり持とうとしたが、奇妙な再会はそこから延々と続いたのである。

「田圃《たんぼ》の畔道《あぜみち》に、今度は男の子が立っていました。ハンサムで、優しくて、足が速くて、クラスで二番目にモテていることにちっとも気がついていなかった武井雅司《たけいまさし》君。誕生日は八月二日。六年生の夏休みに、私は思い切って武井君の家に行きました。バースデイプレゼントのキーホルダーを持って。駅前のファンシーショップで買った品を『おめでとう』と渡し、逃げるように帰りました。彼が『ありがとう』と言うのを背中で聞きながら、走りました」

この記憶は甘酸っぱい。夏休みの間にも、二学期が始まってからも、それ以上は何も起きなかった。自分の誕生日が九月二十日であることを相手は知らないはずなのに、ついつい期待してしまったことは、思い返すと恥ずかしい。彼は私立の男子校に進学し、梢子の初恋は終わった。

「その雅司君でした」

こちらを見ていた。畔道で、にこにこと笑いながら。

開閉できない窓に顔を押しつけ、後方に去っていく少年を見送った。最後に少年は、軽く片手を持ち上げた。その手に握られていた何かが、自分が贈ったキーホルダーであろうことを梢子は疑わなかった。

レールの音が軽やかなものに変わった。屏風谷温泉に向かって、下っているのだ。あと七、八分で着くだろう。

「それから……」

話を続ける。

幼い頃によく肩車をしてくれた早世の叔父《おじ》が、悩みの相談にのってくれた中学のクラスメイトが、映画の素晴らしさを教えてくれた担任教師が、初めて二人きりのデートをしたボーイフレンドが、入れ替り立ち替り車窓に現われて、梢子に手を振った。高校のブラスバンド部の友人が、後輩が、顧問が、ファーストキスを強引に奪った先輩が。飛び去る駅のホームで、土手の上で、線路のすぐ脇で、木立の間で。誰もが、優しく笑っていた。

「私と親しくしてくれた人ばかりです。まるで……」

口に出すのをためらう。

「大学時代の友人や、社会人になってから知り合った人たちにも会いました。この窓越しに。さっき停まった駅、あの――」

「西王田《にしおうた》ですか？」

車掌が言った。予期せぬことだったので、梢子は驚いてびくりとする。

「……はい、そうです。西王田の駅で、父に会いました。郷里の新潟で、今は独りで暮らしている父に」

ホームで駅員が笛を吹き、扉が閉まろうとした時、車窓に近づいてきた者がいた。穏やかな笑みを浮かべた父。もともと細い目を糸のように細めて何か言ったようだ。が、その声は耳に届かず、唇の動きを読み取ることもできなかった。

「お父さん」と呼びかけて窓に右手を置くと、父は左手をガラス越しに重ねた。

「その瞬間、私は泣きだしていました。泣きながら、父に『さようなら』を言いました。もう会えないことが判ったからです。父は何も言いませんでした。すぐに電車が動きだしました。窓にはしばらく父の手形が曇りになって残っていましたけれど……それも、もうありません」

父の登場がクライマックスであろう。もう時間がない、と悟った彼女は、発作的に一両目に走った。この列車に乗ってはいられない。どうにかして停車してもらわなくては。そう焦ってはみたものの、車掌にすがりつくこともできず、叩こうとした運転台の扉は先頭部分に存在しなかった。

逃れられないのだ。通路で見た車掌はいよいよ黒く、諦《あきら》めが全身を充塡《じゆうてん》し、助かろうという気は失《う》せた。そのとたんに出現したのが——フレッド。ああ、この人が最後だったのか、と納得した。

梢子は、きっと車掌をにらみ据える。

「乗り越し切符を買ってから、こんなおかしなことが始まったんです。私は、星沢高原で降りるべきだったんですね？」

黒い影と化した車掌は、無言のままだ。

「あそこで降りていれば、何も起きなかったんだわ。私が自分で自分の運命を変えてしまった。そうですね？　だから誰も恨めず、どうすることもできないんでしょう？」

影が頷いたように見えたが、気のせいかもしれない。

「それとも、これはあなたが意図してやったことかしら。生け贄《にえ》を物色しているうちに、私が選ばれたんですか？　いえ、乗り越しがしたいと言ったのはこちらですけれど、私の意志が車掌さんに操られていた、ということはありませんか？　あなたは、あなたは――」

「失礼します」

車掌がこちらに歩いてきたので、彼女は肩をすぼめて身構える。その脇をすっと過ぎて、彼は最後部の扉の向こうへ消える。

「まもなくぅ屏風谷温泉。屏風谷ぃ温泉です」

アナウンスをすませて出てきた。扉を背に、黙っている。梢子に話の続きを促しているようだ。

「私と関わった大切な人たちが、出会った順番に窓の外を流れていきました。さっき、この車両の中に乗ってきた人もいます。みんなみんな、幻です。私にお別れを言うために現われたんですね？　私、死ぬんですね？」

取り乱しそうだった。車掌は何の反応も示さない。

「ほら、言うでしょ。人は死ぬ直前に、それまでの人生を一瞬にして見る、と。パノラマ現象だかパノラマ視って言うんでしたっけ？　あれは本当にあるんですね。私、もうじき死ぬんだわ。死ぬの。だけど、この電車で死ぬんだとしたら、本望かも。だって、展望車のパノラマ・ヴューが自慢の特急ですものね。冗談みたい」

列車はなおも加速している。タタタ、タタタン、タタタン。小気味よいリズムで線路が鳴っている。終局へのカウントダウンであるかのように。

どうしてこんなことになったのか、判らない。霊感などというものとは無縁だったのに、最後の最後でこんな体験をすることもあるのか。

「いいものを見せてもらったわ。懐かしい顔にたくさん会えた。最高のパノラマ・ヴューだった。――さぁ」

彼女はしっかりとした口調になる。

「もともとそうだったのか、私がそう仕向けてしまったのか、どちらか判らないけれど、死神さん。あなたはどうぞ、前の車両へ。ここにいたら危険ですよ。ここだけが危ないんだわ。屏風谷温泉に着いてしまう前に、早く」

何がどう危ないのか、判らない。

――思いがけない事故が私を襲うのね。それとなく、フレッドが教えてくれた。

彼は何度も偶然《ぐうぜん》という言葉を使い、最後に英語で呟いた。

Accident……と。

脱線し、谷底に転落することはあるまい。前からやってきた列車と正面衝突することもないだろう。それならば、大勢の死者が出るはずだから、自分のような幻影を見る乗客が他にもいるはず。

――なのに、いなかった。ということは、私だけ。

後ろから追突されるのか？　しかし、後続の列車が接近している気配はない。

車掌は梢子の横を音もなく通り、五両目に向かいかけたところで、こちらを振り返った。何か言ってくれるのか、と待つが――黙っている。

彼の傍らに、屏風谷温泉への旅を誘《いざな》うポスターが貼ってあった。駅の向かいの山から撮った写真をあしらったものだ。まさに屏風のごとき岩壁が、線路に覆いかぶさるようにそそり立っている。明るい陽光をたっぷりと浴びて。その頂付近の突兀《とっこつ》とした岩場には、形のいい松が生い茂って、巨大な盆栽のようだ。崖《がけ》の下を、特急列車が横切ろうとしていた。もうすぐ、この電車はあの場所にさしかかる。

「もしかして……」

梢子が言いかけたところで、車掌は一礼して、扉の向こうへ去った。

ポスターを見る。

すると、松の木立の下から、砂粒のようなものが落ちていくではないか。写真では砂でも、実際の大きさはサッカーボール大の石だろう。その一つ一つの影まで、はっきりと見える。

——どうして？

原因はあるのだろうが、それを知る機会がないことだけは直感で判った。

—— Accident

アクシデントなのだ。

切り立った崖の上部に亀裂《きれつ》が入り、大きな岩の塊ができたかと思うと、自らの重みに堪えかねて崩れた。それがスローモーションで落下していくのを、梢子は息を止めて凝視する。

列車の屋根に石塊《いしくれ》が当たる音。
にわかに日が翳《かげ》ったようだ。
次の瞬間、天井と床の間に挟まれるのだな、と覚悟した。

海原にて

ノックの音がしたので、慌ててベッドの上で体を起こした。

「どうぞ」と応《こた》えると、若い三等航海士のパーカーが顔を出す。気さくで、よく働く男だ。

「こんばんは。昨日とはうって変わって、今宵はベタ凪《なぎ》です。船の旅をお楽しみいただいていますか、ムッシュ？　お寛《くつろ》ぎのご様子で」

まるで子供部屋でだらける中学生だ、と思われたか。机に向かって原稿でも書いていれば恰好《かっこう》がついたのだが。

「船長からのお誘いです。よろしければ、サロンにいらっしゃいませんか？　ご自慢のスコッチをふるまいたいそうです」

希《ねが》ってもないご招待だった。そういう席でこそ、興味深い話が期待できる。シャツのボタンを一番上まで留め、ジャケットをはおって、航海士とともに部屋を出た。乗船して一週間になるが、サロンに呼ばれるのは初めてである。第四甲板《デッキ》の右舷《うげん》に足を踏み入れたことも、ほとんどない。そこは一等航海士や機関長、通信長、首席研究員ら幹部の領域だ。

「ムッシュ・サクラをお連れしました」

パーカーが言うと、船長のソームズは「サクラ、サクラ」と怪しい音程で歌いながらグラスを掲げる。すでに微酔《ほろよ》いだった。潮焼けした鬚面《ひげづら》も、前髪が後退した広すぎる額も、ほんのり赤く染まっている。

「ようこそ、ムッシュ。美しい花の名前をした言論の番人」

プチホテル風のサロンには、船長の他に二人の男女がいた。主任研究員の陳《チェン》と次席研究員のローゼンタールだ。テーブルの上には、中華風のオードブルが並んでいる。

海洋研究船のサロンがこうも豪華だとは思っていなかった。船の上が陸上にも増した階級社会なのは承知していたが、一般食堂《メスルーム》とは段違いに優雅な雰囲気だ。

「お招きにあずかり、光栄です」

丁重に挨拶《あいさつ》してから、努めて軽い口調で言う。

「キャプテンの美声でお迎えいただき、恐縮です。ただ、残念なことに私の名前は日本を象徴する花に由来するのではなく、漢字から類推すると倉庫の番人を意味するのだそうです。遠い先祖が、そのような仕事をしていたのでしょう」

磊落《らいらく》な性格らしい船長は、訂正されても気を悪くするどころか面白がっている。

「言論ではなく倉庫を守るのか。名前を漢字で書くと先祖の仕事が判るというのは便利だね。便利なだけでなく、大切なことだ」

「祖父が申していたことなので、まるで当てになりませんが」

「まずは何を？」とローゼンタールに訊《き》かれ、赤ワインを所望する。当人はビールを飲んでいた。一見したところ優男風なのに、まくったシャツから出た腕は逞《たくま》しい。

「サクラとは、どう書くのですか？」

中国系アメリカ人の陳の問いに応え、手帳に佐倉と書いて見せると、生真面目で折り目正しい海洋地質学者は真剣な眼差《まなざ》しで頷《うなず》いた。学者らはどちらも三十代後半で、彼の兄姉の世代にあたる。

「いよいよ本格的な調査に入ったようですが、幸先《さいさき》はいかがですか？」

雑談で座がほぐれたところで、水を向けてみた。ドイツ人学者が「順調ですよ」と答える。

「人も機材も曳航《えいこう》船も、うまくコントロールされている。昨日は少し波が高かったけれど、天候にも恵まれそうです。いい観測結果が出ればいいのですけれど」

「地球の未来のためにもね」船長が言った。「先月、初孫が生まれたばかりなので、心からそう希うよ。あいつが大きくなった頃、この星が茹《ゆ》だっていないか心配だ」

「地球の温暖化が続いている原因については、いまだに諸説あるのですが――」

陳のレクチュアが始まった。録音機材を持ってきていなかったので、サクラは膝《ひざ》の上で開いた手帳に要点をメモし、一段落したところで質問をする。

「それで、日本近海のメタンハイドレート層はどんな状態にあるんでしょうか？　もし一気に崩壊するようなことがあれば、その影響は？」

石油や天然ガスに代わるエネルギー資源として、二十一世紀初めから注目を集めだした〈燃える氷〉、メタンハイドレート。メタン分子が水分子のかご構造に閉じ込められた化合物。手付かずのまま海底下に眠り、燃焼させても二酸化炭素の排出量が少ないため、エネルギー危機を救う切札の一つとして期待されたが、実用化に手間取っているうちに、思わぬ負の側面が浮上した。有史以前よりその層は数千年に一度のインターバルで崩れ、大量のメタンを大気中に放出してきたらしいのだ。もし、どこかでメタンハイドレート層の崩壊が発生すれば、地球規模での急激な気候変化が避けられず、温暖化に深刻な拍車が掛かる。

「今回の調査の目的は、南海トラフで変色域のビデオ撮影、ピストンコアリング、海底電気探査を行ない、メタンハイドレート層の分布を確認するとともに、その形成過程を分析することです。もちろん、一度や二度の調査で得られる結果は限定的ですから、わが国際海洋研究機構としては、次年以降についても――」

陳は能弁だった。誠実と言うべきか。取材が実りあるものになるように、ここまで噛《か》み砕いて解説をしてくれるのだ。そう思った彼は、懸命にペンを走らせた。ありがたかったが、話が堅くなり過ぎたため、船長は退屈してきたようだ。

「丁寧なお話をありがとうございます。いっぺんに伺うと頭が爆発しそうになるので、明日《あした》からまた少しずつ聞かせていただけますか、陳先生」

「判りました、サクラさん。――レイチェルで結構ですよ」

「では、私のことはクロードと」

漢字で書けば蔵人《くろうど》だ、と祖父から教わっている。もっとも、そんな表記を使う機会などこの先もあるまい。

「学術的、ジャーナリスティックに話が終わったところで、無駄話を」ローゼンタールがテーブルに肘《ひじ》を突く。「さっきのパーカー君、ミドルネームがリチャードなんですね。昼間、おしゃべりをしていて聞きました」

「それがどうかしたの？」

「どうかするんだよ、レイチェル。僕がリチャード・パーカーという名前なら、金輪際、船乗りにだけはならないね。海洋地質学者にもならず、アメリカの砂漠やカナダの山奥でせっせと恐竜の化石でも掘るだろう。何故ならば——」

それは呪わしい名前なのだ、と彼は言う。エドガー・アラン・ポーに『ナンタケット島出身のアーサー・ゴードン・ピムの物語』という小説があり、遭難した四人の船乗りたちがボートで漂流し、生き残るため不運な者を犠牲にして食べる件《くだり》がある。その時、籤引《くじび》きで選ばれた男の名が、リチャード・パーカー。

「恐ろしいのは、これからです。ポーがその作品を発表した四十数年後に、船長のお国イギリスでこれと同じようなことが現実に起きたんです。四人の男たちが海難事故に遭い、漂流中に一人を籤で選んで、殺して食べた。その哀れな生け贄《にえ》の名前は、なんとリチャード・パーカーだったのです！」

「信じられない」

寒気がしたのかレイチェル陳は肩を顫《ふる》わせたが、サクラは「ほぉ」と感心するふりをした。驚くべき実話だが、意味ありげな偶然——共時性《シンクロニシティ》——の例として本で読んだことがある。ソームズ船長はというと、薄ら笑いを浮かべていた。

「ローゼンタール先生、それは手垢《てあか》のついたネタだ。私は四十八年の人生で二十回は聞いたね。いや、それは大袈裟《おおげさ》か。しかし、十六回は聴いたり読んだりしている。私の前で怪談を語るのなら、ましてや海の上で語るのなら、もっと恐ろしくて珍しい話を披露してもらわなくては」

「手厳しい。ならば、身の毛もよだつ船長の実体験を語っていただきましょうか」

「悪い報《しら》せがある。あいにく私の船乗り人生は順風満帆で、幽霊船とも海賊船とも遭遇したことがない。いい報せもある。私はこう見えて、奇談の蒐集《しゅうしゅう》家なんだ。それも職業柄、海や船に関したもののコレクションが自慢なんだが、どうしますかな。紳士としては、気の弱い方がいらしたら遠慮しなくてはならないが」

「ぜひ」と、せがんだのは陳だった。目が輝いている。

「素敵だわ。海の男から海の物語を聞くのが大好きなんです。まして怪談の本場イギリスの紳士の怪談が聞けるなんて。とびきり刺激的なのをお願いします」

「陳先生からのお願いとあれば、残るお二人の意向を尋ねるまでもない。とくと語らせていただこう。どれも小説家の嘘ごとを嘲笑《あざわら》うごとき実話ばかりなので、心してお聴きなさい」

船長は、大きな掌《てのひら》をパンと打った。

「さぁ、たった今から、われわれが乗っているのは、全長百五メートル、総トン数四千十七トンの海洋研究船ではなくなった。古式床しい三本マストの帆船だ。月の光が甲板を濡《ぬ》れたように照らし、支柱から垂れた帆綱のシルエットが落ちている。怪異を語るうちに夜は深々と更け、やがてほら、烏賊《いか》が墨を吐いたように雲が湧く。そして、遠雷の轟《とどろ》きが聞こえてきたかと思うと、天をさして聳《そび》えるマストにぽっとセントエルモの火が灯《とも》るだろう。こちらにいらっしゃるお二人の先生方は、もっぱら海底の秘密を探っておいでになるが、実験機材を沈めて地獄を覗《のぞ》くまでもなく、海は神秘と驚異に満ちている。波のまにまに一つずつに、別世界への扉が無数に開いているんだ」

香具師《やし》のごとき名調子だ。一同は、好みのペースで飲みながら聴き入る。

「人知の及ばぬ話のまず最初は、死者にまつわるものだ。言うまでもなく、海は隙あらば人を黄泉《よみ》に引きずり込もうとする。古来、どれほどの船乗りが陸《おか》に焦《こ》がれつつ死んでいったことか。土に葬られることを渇望しながら波間に消えたことか」

研究船を帆船に変身させたというのに、登場したのはタンカーだった。二十世紀前半の話らしい。タンクの清掃をしていた水夫が二人、重油のガスにやられて不幸にも命を落とした。メキシコの沖を航行中で、船には低温を保つ設備がない。恭しい儀式を行なった後、二つの遺体は祈りとともに海へと投じられた。船乗りたる者、水葬に付されるかもしれないという運命は承知しているはず。しかし、この二人には諦《あきら》めきれない事情があったらしい。

「葬儀をすませた翌日の夕刻、航海士があるものを発見した。船尾の十メートルほど後ろを、何かがついてくる。報告を受けた船長が双眼鏡で見ると、それは水葬したはずの二人の水夫の顔ではないか。じきに日が暮れ、見えなくなったが、乗組員の間に噂が広まる。夜が明けると、はたして波間の顔はなくなっていたが、夕暮れが迫るとまた現われた。ほんの十秒ほどだったにせよ、大勢が見ており、目的地のニューオーリンズに着いてから、船長はこの奇怪なものについて正式な報告書を提出している。二人の水夫は、かなり執念深かった。そのタンカーの次の航海にもつきまとったため、船長は用意したカメラで撮影することに成功した。そこに写っていたのは亡き二人の首ともう一つ、肉の削《そ》げた誰とも知れない男の首だったという」

うーむ、とローゼンタールが唸《うな》った。

「いかがかな？　恐ろしくも、どこか哀しい話ではないか。死者がどこまでも船を追ったという話は、これだけではない。——十七世紀末、シャムに向かっていたフランスの船団を思い描いていただこう。赤道に近づいたところで、熱病が船を襲う。荒天や海賊ばかりではなく、病もまた航海する者の敵だった時代のこと。死神の手に触れて、一人の水夫が死んだ。遺体は帆布でくるんで縫い合わされ、二つの砲弾を錘《おもり》にして、法律と作法に則《のっと》り海に葬られたのだが……彼もまた素直には昇天しなかった」

白い布に包まれた死者は海に眠ることを拒み、航跡の後ろに浮上した。浮いたかと思うとまた沈む。そんなことを繰り返しながら、ずっと船を追ってきたのだ。船員らが恐怖したことといったらない。あれは、さらなる死を求めてついてくるのだ、と信じた者もいる。その不吉な予感は的中し、幽霊が消えた十日後、病で衰弱していた船長が息を引き取ったのだった。

流暢《りゅうちょう》な語り口は、船長がこれらの怪談を座興の芸にしていることを窺《うかが》わせた。サクラは、それを素直に楽しもうとしたが、ローゼンタールが不粋な理屈を捏《こ》ねる。

「最初の幽霊は写真に撮られたそうですが、それだけでは実在した証拠になりませんね。海豚《いるか》やジュゴンといった海獣が船を追いかけていただけかもしれないし、漂流物がスクリューに絡みついていたのかもしれませんよ。後の幽霊は、錘の付け方に不備があったのでしょう。――いや、失礼しました。科学的な分析はお呼びではありませんね」

「判っているのなら、口を慎んでもらいたいわ」

「ごめんよ、レイチェル。正直に言うと、とても興味深い話だった。死してなお残る人間の思念というものを感じたね。僕たちは海に魅せられた変わり者だけど、人は大地で生きる[illegible]。船を追って、懐かしい陸に帰ろうとする魂もあるだろう」

「まぁ、[illegible]てつけたようなコメント」

「面[illegible]くないのなら、パパはもう絵本を閉じるぞ」

船長がおどけて言うので、「どうか閉じないで」と陳が身振りをまじえて頼み、サクラも「別の話を」と請う。スコッチで喉《のど》を湿らせてから、船長はまた語りだした。

「ローゼンタール博士のお国の船長に登場してもらうとしよう。えーと、あれは一八八四年のことだ。アフリカの西海岸、ガンビアのバンジュール港を出て、チャールストンを目指していたドイツの帆船フレデリック・スカルラ号は、順風の恵みを享《う》けて大西洋を航行していたが、大海原の真ん中で暴風雨に遭い、手ひどく傷めつけられてしまった。マストはすべて折れ、船底に開いたいくつもの穴から浸水し、ポンプを押し続けなければならない有様となり、絶望的な漂流が始まる。食料は十日分ほどしかなく、船体が海面すれすれまで沈んでいるため、通りかかった船に発見される望みも淡かったのだが――」

しかしある日、水平線上に希望が出現する。二本のマストにしっかり帆を張った大型帆船がこちらに向かってきたのだ。助かった、とスカルラ号の船員らは安堵《あんど》したが、接近しても相手の船がボートを下ろす気配はない。それどころか、ふらふらと行きつ戻りつし、亡霊のように彷徨《さまよ》う。そして、救助してくれるどころか、スカルラ号めがけて突き進んでくるではないか。ぶつかりそうになった相手の船F・J・メリーマン号の甲板には、ひどく弱った三人の水夫がいた。彼らの船では、黄熱病の患者が発生し、十日前にバンジュール港を追放されるように出ていた。そして、船長をはじめとした乗組員らは海上で次々と病に倒れ、ついには漂流しながら沈没を待つだけとなっていたのである。

「スカルラ号の乗組員らは、何とかF・J・メリーマン号に乗り移り、なんとかニューヨークへたどり着くことができた、という物語。不思議だろう。大西洋の只中《ただなか》で、二隻の難破船が磁石で引かれるように出会うとは。神の御業か、さもなくば……。言わぬが花か」

「潮流がもたらした必然だ、とは申しません」ローゼンタールは言う。「野暮な分析はなしです。これはすごい話ですよ。どれほどありそうにない幸運か、僕にだって理解できます。これも人の思念が呼んだ奇跡というものでしょう」

長は、うれしそうに微笑んでいる。

「しナ。付言しておくと、海流や風向きから考えて、二隻が鉢合わせする望みは、ほとんど、ったそうな。——だが、生への執着は人だけが持つのでもない。そんな例をご紹介するとしよう。一九二三年十月から翌年八月にかけて、ガヴァナー・パー号が行なった航海ほど幻想的な旅も稀《まれ》だ」

その四本マストの帆船は、暴風雨に襲われてセーブル島の沖合で棄てられたのだが、どうせほどなく沈没すると思われたため、船長は船底に穴を開けるという措置を怠った。ところが、ガヴァナー・パー号は予想に反して沈まず、一週間後に海上で目撃される。それどころか、十二月になっても無人の航海を続けていることが判り、ついに沿岸警備船が出動した。放置しておくと、他の船舶に危険を及ぼす懼《おそ》れがあったからだ。警備船は、コントロールを失ったガヴァナー・パー号の現在地を探し求め、八日目にやっと気息奄々《えんえん》たる様で漂っている船を見つけるのだが、沈めてしまう手段がなかった。そこで駆逐艦の出番となるも、また相手を見失ってしまう。

「その後は目撃情報がなかったので、ついに海の藻屑《もくず》と消えたか、と思いきや、翌年六月になって、ポルトガルの漁船が出喰《でく》わし、七月にはイギリスの貨物船がリスボン沖であわや衝突しそうになる。貨物船の船長は、怯《おび》える水夫らを漂流船に移らせ、この化け物じみた船に火をつけさせた。彼らは、ガヴァナー・パー号の炎上を一時間も見守ってから去ったのだが、まだ早かった。翌八月に、商船が黒く焼けた同船を見る。その後、幽鬼に憑《つ》かれた船の消息を知る者はいなくなるんだが、もしかすると沈むことを忘れ、今もどこかを漂ってないとも限らない」

ゴン――と何かが右の舷側にぶつかった。絶妙のタイミングに、陳もローゼンタールも驚きの声を上げる。

「漂流物か。大したものではなさそうなので、ご心配なく。この海域は多いんだ」

「でしょうね。だけど、びっくりした。これも船長の演出かしら、と思いましたよ」

陳が、胸を撫《な》で下ろしている。

「はは、それはいい。特殊効果だな。うまい手がないか機関長と相談してみよう。――ところで、まだまだ私の舌は滑らかだよ」

船長は、上機嫌でなおも語った。死の淵《ふち》から辛くも生還した漂流者たちの数奇な運命や、誰も打電しなかったはずなのに届いたSOSの謎や、沈んだはずのトリコロール号と六年後の同月同日に霧の中で衝突しそうになったコストウ号の謎など。どれも触れ込みどおり海の神秘と驚異に満ちた物語で、奇談蒐集家の面目躍如たる宵になった。

「僕たちは今、恐ろしいところにいるんですね。海はミステリーの宝庫だ」

ローゼンタールが言うのに、船長は鹿爪らしく頷く。

「怪異は、海が好きだ。好んで波の上に現われる。何故だか判るかな？　それは、人間の目がないからだよ。われわれは妖《あや》しい出来事を見たり聞いたりして怖がるが、怪異は恥ずかしがりで、大勢の人の目につくのが苦手ときている。だから、どこまでも広がる海原にひょっこり現出して、限られた者のみを目撃者とするのだろう」

ちらりと壁の時計を見やる。十一時だ。

「しゃべりすぎたかな。明日も朝が早いのに、こんな時間になってしまった。お開きにしようか。お付き合いいただいて、感謝します」

学者たちは「おやすみなさい」と去ったが、取材のために乗り込んでいるとはいえ居候気分もあるサクラは、あと片づけがしやすいように皿を重ねたりする。放ってけばいい、と船長は止めた。

「あなたも明日は朝から忙しいはずだ。係の者がやるので、おかまいなく」

「ご馳走《ちそう》になった上、興味深いお話が伺えて素晴らしい時間でした。奇談蒐集家を自称なさるだけのことはあります」

ソームズは、照れたように微笑む。

「告白すると、ネタ本がある。ロベール・ド・ラ・クロワの『Histoires extraordinaires de la mer』という本でね。百年ほど前のものだが、名著だ。航海中の徒然《つれづれ》を紛らわせたければお貸ししてもいい。——それより」

不意に声が低くなった。

「部屋に戻る前に、甲板で風に吹かれるのもよいかと。ちょうど今、本船はあなたのお祖父《じい》さんのお国の近くにいる。山々のシルエットが望める距離ではないが、他のものが視えるかもしれない。――やはり思念は残るようだから」

含みのある言い方だ。

「船長は、何かご覧になったことがあるんですか？」

「二度ほど。このあたりには、何度かきているので」

「私にも視えるでしょうか？」

「視えるかもしれないし、視えないかもしれない。また、何が視えるかは人によって異なる。当直の二等航海士らの話も、たいてい食い違う。――行ってみなさい」

その声に押されるようにサロンを辞して、甲板に出た。

風に吹かれようもないほどの凪で、海は穏やかだ。それでも空の八割ほどを雲が覆っているため、美しい星月夜というわけにはいかない。北を望んでも、漆黒《しっこく》の布を広げたような海原がどこまでも続くばかりで、あるはずの島影は黒々とした闇に溶けている。

恥ずかしがりの怪異は、姿を現わしそうにないな。そう思いつつ、前舷へとゆっくり歩いた。調査海域が近いため、船は低速で北東へと向かっており、二ノットも出ていないだろう。機関室から洩《も》れてくる音は、子供の寝息のようにささやかだ。舳先《へさき》が波を切るところを見下ろしながら、しばらく佇《たたず》む。今日最後の一本、と煙草をくわえた。凪のおかげで火を点《つ》けるのにも苦労しない。時代遅れの悪癖を楽しみながら、ぼんやり前方を見ていると――

何かが視える。

水底から月を見上げたら、あのような輝きなのではないか。丸みを帯び、仄《ほの》かに滲《にじ》んで光る物体が、まっすぐこちらに向かってきていた。夜の海のこと、距離の目算が難しいが、かなりの大きさだ。何だろう？　船にしては形がおかしいし、ショーボートでもあんなに全体が光ったりしまい。

ガヴァナー・パー号の話を思い出した。百六十年の歳月を経るうちに、とても船とは呼べない姿と化した幽霊船が、おのれの噂に惹《ひ》かれて出現したのか？　何であるにせよこのままだと正面衝突してしまいそうだが、船橋《ブリッジ》で当直が目視しているはずだから、舵《かじ》を切って回避するだろう。

成り行きを見守っていると、雲の間から月光が射し、遠い海面を照らした。と同時に、船は面舵をとって、わずかに針路を右にずらす。角度が変わったせいで、丸い物体がかなりの長さを持っているのが判った。相手も衝突を避けたがっているのか、生あるもののごとく身をよじって、流線型の頭を右に向ける。信じられないことに、それは、どう見ても長大な編成の列車だった。

見覚えがある。日本を記録した映像で幾度か観たし、祖父が遺《のこ》した古いビデオにも映っていた。あの白い車体に青いラインは、新幹線と呼ばれた超特急だ。

もちろん、列車が海上を走っているはずもなく、自分は幻影を視ているのにすぎない。しかし、理性が懸命に訴えても、儚《はかな》く朧《おぼ》ろな輝きを放つ列車は、さらに左前方に接近して、消える気配がなかった。ずらりと並んだ窓が、月明かりを反射している。

あり得ない光景に見入っているうちに、煙草の灰がぽろりと落ちた。

船長の言葉が脳裏に谺《こだま》する。

――生への執着は、人だけが持つのでもない。

――やはり思念は残るようだから。

海竜のごとき列車は、船の左舷に長く寄り添って、静かにすれ違う。両者は半海里《マイル》ほど離れているのに、目を凝らせば窓に人の影が視えそうだ。超現実的に輪郭がぼやけてはいたが、月光の跳ね返り具合からして、それは実体があるようにしか思えなかった。

茫然《ぼうぜん》として眺める。

一、二、三……。数えると、十六両編成だった。車体は、海面からわずかに浮かんでいるらしい。

すれ違い、やがて去っていく。彼は、短くなった煙草を海に捨て、二歩三歩と船尾に向かったところで足を止めた。船と列車の速度が加算され、相手がたちまち遠のいていったため、追いかける気が失《う》せたのだ。最後尾に灯った赤いテールランプは、今や煙草の火のごとき点になっている。あるいは、爛々《らんらん》と光る幻獣の目。

あれが海の怪異か。

まさに神秘と驚異。

立ち尽くしていると、今度は船尾の方向から何かがやってきた。今しがたの列車が戻ってきたのか、別のものなのかは判らない。先ほどよりも距離が開いていたが、同じ種類の列車であることは間違いがなかった。海面を滑るように走り、障害物もないだろうに、時折ゆるやかにカーブする。走ることを楽しむかのように。

三分間ほど並走していたが、のろくさと進む船には付き合いかねるらしく、超特急の称号を誇った列車は行く手の闇に消えていく。赤い灯が完全に視えなくなるまで、彼は手摺《てす》りを摑《つか》んだままだった。

ゴン、と何かが船の横腹にぶつかり、われに返る。

気を鎮めるために煙草を喫《す》い直そうとした時、靴音を聞いて振り返った。ソームズがこちらに歩いてくる。

「何か視えましたかな？」

「はい」

視たままを伝えた。船長は「そうか」と顎鬚《あごひげ》を撫でて、北を見やる。

「ここからホンシュウの南端まで約八十キロ。漂流物が多くて危険であり、地震と津波の情報にも敏感でなくてはならない。そして、色々なものが一番よく視える海域なんだ。――そうか、あなたも新幹線をね」

「あなたも、と言いますと？」

船長は海泡石《メアシャム》のパイプを取り出し、マッチで火を点ける。

「お喫いになるんですね」

「時代遅れを気取っているのでね」

一服ふかしてから、サクラに答える。

「一年ほど前、国連の調査隊を乗せたことがある。スタグナントスラブの崩落とかいう人類が経験しなかった地殻の大変動が終息して、かれこれ十年。もうこれで太平洋プレートはエネルギーを放出しきったのか、ずたずたにちぎれた日本列島に帰るリスクはどれほどのものなのか、を探るための調査隊だ。その中の日本人科学者が、やはり新幹線を視ている。あなたのお祖父さんにあたる年配の方で、新幹線に乗ったこともおありだった。懐かしいものに会えた、と涙ぐんでいたよ」

風が出てきた。船長がふかすパイプの煙が、船尾へと流れていく。

「皮肉だ。あなたのお祖父さんの祖国は天然資源に恵まれない先進工業国で、常にエネルギーを欲し、時に屈辱的な外交に耐えなくてはならなかった。メタンハイドレートという次代のエネルギー資源を懐の海に抱いていると知った時は、全国民がこぞって喜んだことだろう。しかし、それを貯えた海底が牙《きば》を剥《む》き、半世紀をかけて国土を破壊し尽くした。春の盛りを桜に祝福された島国は、今や世界で最も大きな無人島だ」

「世界で最も大きな廃墟《はいきょ》、とも言われています」

「悲劇だ」

アルジェリアで生まれ、パリで育ったサクラには、その日本人学者のような感傷はない。ただ、さっきの光景を死んだ祖父に見せてやりたかった、と思うだけだ。

「その学者に聞いたよ。わが英国は鉄道発祥の地だが、日本ほど鉄道の発達した国はなかったんだね。二十世紀の後半から今世紀の初めにかけて、全世界で鉄道を利用する全人口のうち、四割ほどが日本人だったというじゃないか。初耳だったので驚いた。その国の叡知《えいち》が生み、誇りとした列車が新幹線だ。そりゃ……残るだろう」

風は次第に強まる。

波が出てきたようだ。

参考：『海洋奇譚集』ロベール・ド・ラ・クロワ著／竹内廸也訳（三笠書房）

シグナルの宵

〈シグナル〉は、呑《の》み屋や風俗店が蝟集《いしゅう》した通りを抜けた先、うら淋《さび》しい場末の雑居ビルの地下にあった。陰気な階段を降りて、得体の知れない店にふらりとやってくる客は稀《まれ》だ。

そこは隠れ家めいた小さなバー。好もしい雰囲気を守りたくて、常連客たちはめったなことで知人に教えたりしないものだから、いつしか会員制の店のようになっていた。

居心地がいいだけではない。初老のマスターが出してくれるカクテルはよそでは決して味わえない素晴らしさで、一度覚えたら他の店に行く気が失《う》せるほど。いつもいつまでもこの店がありますように、と朋美《ともみ》は本気で祈っていた。そんな店に――

――ああ、やっと行けるわ。

クリスマスまであと十日となって賑《にぎ》わう師走《しわす》の人込みを掻《か》き分け、彼女は古びたビルへと向かう。月刊誌の校了が終わった日には、大好きな場所で寛《くつろ》ぎ、極上のカクテルに酔うのだ。

空が無気味に鳴っていた。こんな季節には珍しい。降りだす前に、と急ぐ。急な階段を降り、チョコレート色をした扉を開いた途端、控えめなBGMのボサノバが流れ出して、カウンターのマスターと目が合った。穏やかな、いや、静かなと評したい瞳《ひとみ》。深山の奥の湖を連想する。いつもどおり落ち着いた声に迎えられた。

「いらっしゃいませ、松宮様《まつみや》」

「こんばんは。ちょっとご無沙汰《ぶさた》です」

二ヵ月ぶりだった。このところ仕事がやけに忙しくて立ち寄れなかったのだ。

「禁断症状を起こしかけていたんですよ。ようやくこられました。年末進行というのでバタバタで」

言いながらコートを脱いでいたら、背中から野太い声が飛んできた。

「よお、トモちゃん。けしからんね。俺を誘いもせずにきやがって」

振り向くと、二つしかないテーブル席の一つに高坂彰一《こうさかしょういち》の顔があった。朋美が担当している中で最もベテランの推理作家は、グラスを片手ににやにやしている。慌てて向き直り、一礼した。

「先生がいらしているとは存じませんでした。お声をかけるも何も、やっと仕事が片づいたのでひと息入れようと思って、ふらっときただけなんです」

「才媛《さいえん》の弁解は聞きたくないな。『申し訳ございません。以後注意いたします』だけでいいんだ」

冗談に付き合うため、そのまま復唱した。小太りの作家は「よろしい」と頷《うなず》く。

「こんばんは、松宮さん。せっかく独りの時間を過ごそうとしたのに、煙たい人と鉢合わせしてしまいましたね。お気の毒に」

もう一人の先客、中久保《なかくぼ》が笑う。機械メーカーの営業課長で、三十五歳の朋美と同年代だ。物腰が柔らかく、高級ブランドのスーツが似合う独身男。少しばかり気になる存在だった。

「とんでもない。この素敵なお店は、高坂先生に教えていただいたんですよ。私が煙たがられることはあっても、その反対はありません。お気の毒なのは先生の方でしょう。仕事を忘れてリラックスしている時に担当編集者に押し入られて、お酒がまずくならなければいいんですけれど」

作家は、立てた人差し指を振る。

「心配無用。こっちも年末進行の短編を仕上げて、肩の荷を降ろしたところだ。編集者を見てびくついたりしない。お互い、自分の健闘を讃《たた》えて飲もう。今夜は独りがよさそうだから、お邪魔はしない。マスターに恋と仕事の悩みでも打ち明けながら、ゆっくりやってくれ。俺はいないものと思って。はっきり言おう。こっちは中久保さんと愉快にやっているからトモちゃんのお相手をしてあげられないんだ。悪《あ》しからず」

気を遣《つか》わせないようにしてくれているのだ。

「では、目障《めざわ》りな編集者もいないと思ってください」と応じる。正直なところ、ほっとした。

コートをハンガーに掛けてスツールに座ると、マスターが「まことに恐縮です」と慇懃《いんぎん》に言う。

「『素敵なお店』と評していただいて、畏《おそ》れ入ります。松宮様のような女性なら、もっとお洒落《しゃれ》なバーがお似合いでしょうに」

「こんなお洒落なバーはありませんよ」

つい嘘をついてしまった。〈シグナル〉は、その立地のみならず内装もおよそお洒落というイメージからほど遠い。高坂に「いいところに連れていってあげよう」と初めて案内された時は、踏み入るなりそのセンスを疑った。

扉のすぐ右脇に、鉄道用の信号機が鎮座していたからだ。大人が静かに酒を楽しむ空間に、まるでふさわしくなかった。オーナーが鉄道ファンだとしても、居酒屋でもあるまいし、こんなものを飾るのは感心しない。やたら大きくて目障りなだけだ。

さらに呆《あき》れたのは、店の隅に置かれた鉄道のジオラマだった。畳一畳ほどの台の上に、田舎の小駅の風景が再現されていた。精緻《せいち》な作りで、大人の鑑賞にも堪える作りではあったが、これまたバーにはミスマッチだ。案内してくれたのが高坂ではなく親しい友人なら、「何よ、これ」と小声で囁《ささや》いたかもしれない。

「まずは何を？」

汚れてもいないカウンターの上をおしぼりでひと拭《ふ》きしてから、マスターは訊《き》く。

「この前と同じものをください。ドライジンがベースになってて、きれいなサンドベージュをしたの」

朋美のために作ってくれたオリジナルのカクテルだ。マスターは、すぐに判ってくれる。

「お望みのものが注文しやすいように名前をつけましょう。そうですね。〈スイッチバック〉はどうですか？」

くすっと笑った。

「鉄道用語じゃないですか。全然関係がない。でも、いい。それにしてください。

〈スイッチバック〉を」

マスターは前職について語らない。高坂が「リタイヤした鉄道マンでしょう」と短絡的な推理を突きつけた時も、「どうでしょうか」とはぐらかすだけだった。

練達の職人の技を鑑賞するのは楽しい。カウンターの端あたりに視線を投げ、無表情のままシェイカーを振るマスターは、頼もしくセクシーだった。鉄道趣味もご愛敬に思えてくる。

「推理作家とかミステリー作家とか言いますけれど、先生はどちらがお好みなんですか？　意味が違うのかな」

中久保がどうでもいいようなことを尋ねている。

「推理作家がいいよ。立派な日本語があるのに、わざわざ横文字をまぶす必要はありません。それに、ミステリーという言葉はあまり好きではないな。ＵＦＯやらネッシーが頭に浮かんで、まぎらわしいでしょう」

「幽霊とか超能力とか」

「そうそう。ミステリー作家と聞いて、そういう話を書いているんだと思う人がいるんですよ、いまだに。迷惑千万だ」

「ははあ、迷惑ですか」

「そりゃあそうです。超常現象だの狐狸妖怪《こりようかい》だのといった類《たぐい》は、私の作品と最も縁がない。理知の文芸である推理小説には、そんなものはお呼びじゃありませんから」

「奇抜な謎が出てきても、あくまでも合理的に解決される、ということですね？」

「そうでなくっちゃ推理小説でなくなってしまう。だから、誤解を招きかねないミステリーという言葉は避けたいんです。もうすっかり定着してしまったから、私に勝ち目はありませんけれどね。酒場でブチブチとこぼすしかない」

ぼやく声が明るい。仕事が手から離れて、ご機嫌のようだ。

「お待たせしました」

マスターが、そっと〈スイッチバック〉をカウンターに置く。朋美はグラスを目の高さに上げて、美しい色にしばらく見入った。こんなふうにもったいぶるのは、飲む前の儀式だ。

「では、ちょっと行ってきます」

そう言うと、マスターの口許《くちもと》が微《かす》かにほころんだ。

彼が作ったカクテルは、優しく酔わせてくれる。グラスを傾けるほどに心は解き放たれ、何やら甘く懐かしい気分へと導いてくれる。目を閉じると、瞼《まぶた》の裏側のスクリーンに、いつかどこかで見た愛《いと》しい風景が広がり、うっとりする。

「高坂先生がおっしゃったとおりマスターは鉄道マンだったのかも。魔法みたいなお酒で、遠くへ連れていってくれる」

ある時、そんな感想を洩《も》らしたら、彼は少し気取った口調で言った。

「いい酒は、心を旅に誘《いざな》うものです」

「あら、広告のコピーみたい」

小説の地の文で出てきたら陳腐な表現だが、彼が言うと説得力がある。

「このお店の名前は、〈プラットホーム〉でもよかったかもしれませんね」

「迂闊《うかつ》でした。改名するには、もう遅すぎます」

美酒を喉《のど》に通す。かちかちに硬直していた何かが、素直にほどけていく感覚があった。つまらない拘《こだわ》りや、わだかまり、意地。そんなものだ。ひと口だけで、酔いが回るはずもないのだが。

旅の空の下にいる自分を脳裏に描いてみた。ジオラマの駅に停まっているのと同じ朱色のディーゼルカーに揺られ、山間《やまあい》のローカル線を旅する。分け入っても分け入っても、青い山。いくつもトンネルをくぐり、時折短い鉄橋で渓谷を渡る。峠を越えたところで列車がひと息つくのは、ささやかな無人駅。周辺には疎《まば》らに民家があるばかりで、ひと昔もふた昔も前のノスタルジックな看板が目につく。季節は……そう、初夏にしよう。まだ梅雨に入らず、半袖《はんそで》が涼しく気持ちいい六月の初め頃。ゴールデンウィークと夏季休暇の狭間《はざま》で、プライベートな旅がしにくい季節だ。小休止の後、発車。窓を大きく開けると、草の匂いがする風が光とともに吹き込んだ。このままずっと乗っていたい、と思う。

グラスが空いてしまう。同じものを頼もうとしたら、マスターが黙ったまま二杯目を出してくれた。

テーブル席から、声が飛ぶ。高坂がシェリー酒を、中久保が〈デッドセクション〉なるものを所望だ。後者は彼だけのスペシャルドリンクで、名前は何やらいかついが――どうせこれも鉄道用語だろう――柑橘《かんきつ》系のフルーツカクテルだった。実は、あまりアルコールに強くないらしい。マスターが柄杓《ヴァネンシア》を華麗に捌《さば》き、ほんのり青林檎《りんご》と白桃の香りがする酒をグラスに注ぎ込む様を、朋美は夢見心地で見ていた。

飲み物が行き渡ってまもなく――

「何を指折り数えているんです？」

推理作家が尋ねる。

「そろそろかな、と思って数えていたんです。大庭《おおば》さんが亡くなって、今日で四十九日ですね」

空想の旅が色褪《いろあ》せた。朋美は現実に引き戻される。

「そうか、早いもんだな。では、追善の意味を込めて献杯しますか」

グラスが触れ合う音がした。

「あの人、いくつでしたっけ？」

「二十九です。うちの弟と同じなので覚えています。若くして、あんなふうに人生を終えるなんて……」

「自分で幕を引いたんだからなぁ。痛ましい」

ローカル線のディーゼルカーに飛び込んだのだ。遺書はなかったらしいが、運転士の証言から自殺と断定されている。

「ホームや踏切から通勤電車に身を投げるというのはよくあるけれど、あんな田舎で鉄道自殺とはね。やっぱり……」

高坂もさすがに口ごもる。何を言いかけていたのか見当はついた。

――死に場所を探していて、この店のことを思い出したのよ。

大庭は、五年来の馴染《なじ》み客だったという。半月と開けずにやってきて、この止まり木で酒を味わい、マスターや他の客たちとの談笑を楽しんでいた。ぼそぼそと低い声でしゃべる覇気のない男だったが、立ち居振る舞いにはほのかに品があり、印象は悪くない。酔った弾みか、一度だけ「僕、年上の女性に惹《ひ》かれるんです」と言われたことがあったが、「お姐《ねえ》さんは口説かれないもんね」と返したら、気弱な顔で笑った。

「あんな田舎って……大庭さんの郷里だったんでしょ。最期に懐かしい風景を見たかったんですよ」

中久保が言うと、高坂は湿った溜《た》め息をついた。

「そうだね。ここのジオラマを見て、『典型的な田舎の駅だ。僕のふるさとに似ている』と言っていましたっけ。長閑《のどか》なところで育ったんだな、彼は。朴訥《ぼくとつ》だった。話しぶりはいつも控えめで、嘘や誇張が混じっていなかった。純粋すぎて、生きるのがつらかったのかもしれない」

自殺の詳しい理由は判らない。その死さえ、朋美たちはしばらく知らなかった。手帳にこの店の電話番号が書いてあったため、身元確認の過程でマスターが警察から連絡を受けるまでは。

思い当たる節は、いくつかある。講師を務めていた予備校を馘《くび》になり、再就職の先が見つからずに困っていたし、何か持病があるのか体調もすぐれなかったようだ。最後に会ったのは三ヵ月ほど前。

「今日は無口ね」などと言ったのが悔やまれる。

「いけない、しんみりしてしまいました。話を変えましょうか。先生の新作について何おうかな」

「それは駄目です。もっとしんみりしちゃうよ」

扉が開く。

マスターが顔を上げたかと思うと——目を剝《む》いた。今まで見たことのない表情だ。どうしたのかと振り向いた朋美は、よろけてスツールから落ちそうになった。

「こんばんは」

大庭が立っていた。

——やつれた。

朋美は、男の顔をまじまじと見て思う。頰が瘦《こ》けていた。

人間というのは、おかしい。「いらっしゃいませ」も忘れてしまったマスターが放ったひと言は「何になさいますか?」という間が抜けた問いかけだった。

「まずビールですか?」

大庭はいつもビールから飲み始めた。男は両腕を垂らし、棒立ちのようになっていたが、狼狽《ろうばい》したように首を振る。

「いえ、時間がありませんので。クバンスカヤをロックでもらえます?」

お気に入りのウォッカだ。マスターは平静を装って「畏《かしこ》まりました」と受ける。

ガタンと椅子を鳴らして、高坂が立ち上がった。

「ちょっとちょっと。どうなっているんだ。大庭さんじゃないですか」

男は「はあ」と軽く会釈する。

「あなた、死んでなかったんですか？　びっくりだ。噂をしていたところなんですよ。今日が四十九日だなって」

中久保は、明らかに怯《おび》えていた。できることなら逃げ出したい、とばかりに身構えている。彼が近くにやってくるのが、朋美も怖かった。

「申し訳ありません」

男は、いきなり詫《わ》びた。

「驚かせてしまいました。私、大庭の双子の弟です」

一瞬、フタゴノオトウトの意味が判らなかった。動揺のあまりに。

――フタゴノ……ああ、双子か。

それなら何の不思議もない。理性は納得したが、死んだ男とそっくりな顔を目のあたりにして、動悸《どうき》はなかなか鎮まらなかった。

「兄からこの店のことを聞いたことがあります。ここにいる時間だけ、つらいことや淋しさを忘れられたようです。人のぬくもりが感じられたんですね」

　男は、訥々と話しだす。

「四十九日の今日、兄がうれしそうに話していた店で一杯飲みたくなって、のこのこやってきました。私と兄って、そんなに似ていますか？　当人はそうでもないつもりだったので、皆さんをこんなに驚かせるとは思いませんでした。すみません」

「心臓が止まりそうでしたよ」胸に手をやって、中久保が言う。「お兄さんと瓜二《うりふた》つですよ。立っている姿勢が。声やしゃべり方もそのままだ。クバンスカヤのロックを頼んだのは……」

「それは兄の真似です。こちらでよく飲んでいたと話してたので」

　彼は、隅のジオラマに目を留めた。背を丸めて寄っていく。ウオツカの銘柄まで知っているのなら、当然この〈シグナル〉名物についても聞いているだろう。覗《のぞ》き込んで言う。

「よくできていますね。こんなのを持っている友だちがいました。そいつのは、もっとパーツが大きかったけれど」

「お友だちのは縮尺が一五〇分の一のNゲージだったんでしょう。そこにあるのは二二〇分の一のZゲージです。狭いスペースで、大きな風景が作れます」

ボトルの蓋《ふた》を開けながら、マスターが答える。

「精巧だ。人間もあちこちにいる。小さな人形だなぁ。指の先ぐらいしかない。男、女、子供、老人。味がありますね。駅や家もリアルです。この駅……名前が書いてない。モデルはあるんですか？」

「わざと書いてないんです。どこでもない駅ということで。特にモデルはありませんが、大庭さんは『僕のふるさとに似ている』とおっしゃっていました」

「うん、似てる。よく似ていますよ。こっちが北だな。トンネルを抜けてすぐきついカーブがあって、曲がりきったところが駅なんです。信号機の形も、ホームの短さも、駅前の寂《さび》れ具合も同じだ。これを見て、兄は里心を刺激されたでしょう」

——だから、郷里に帰って死んだのかもしれない。

そう思ったが、口に出すのは慎んだ。

「マスターがお作りになったんですね。下世話なことを言いますが、お金がかかっているんでしょうね」

「自慢にもなりません。貧乏バーテンダーの道楽で、三百万円ほど注ぎ込んでいます。あれこれ加えたりいじったりしたいのですが、財布に余裕がありません」

「凝ればキリがないだろうな。——ディーゼルカー、駅に停まったままですね。動くんですか?」

「はい。動かすと玩具屋《おもちゃや》のようになってしまうので停めたままにしていますが。よろしければ、走らせてみましょうか?」

――見てみたい。

朋美は希望したが、返事は「いいえ、結構です」だった。それが自然な感情かもしれない。

なおもジオラマを見つめていた男が、不意に人形の一つを摘《つま》み上げた。何をするのか、とみんなが注目する。首を伸ばして覗くと、それを線路の上に置いた。

「このへんです」

トンネルの近く。大きなカーブの曲がりっ端《ぱな》だ。

「兄は、ここで列車がくるのを待ったんです。時刻は夜の九時四十分。田舎のことですから、最終列車でした。こちら側からダイブしたんですね」

生々しい様子は知りたくもなかったが、男は知ってもらいたいのだろう。一同、神妙な顔で聞く。朋美は、運転士が慌てて鳴らす警笛を想像した。

「……すみません」

男は、深々と頭《こうべ》を垂れる。

「馬鹿だな。よけいなことを話してしまいました。ご気分を害されたでしょうが、赦《ゆる》してください」

高坂が席を立ち、男の傍らまで進んだ。そして、線路上の人形を取り、駅のホームにそっと降ろした。

「苦しかったでしょうが、お兄さんはもう楽になって、安らかにお眠りですよ。この度は、まことにご愁傷さまでした」

「ありがとうございます。――失礼ですが、高坂彰一先生でしょうか？　兄からお噂を耳にしています。含蓄《がんちく》に富んで、愉快なお話をたくさんしていただいたと」

「大庭さんもべんちゃらがお上手だったんですね。私の話なんて、含蓄に富むどころか変ちくりんな与太ばかりですよ」

作家は下手な洒落を言ってから、中久保と朋美を紹介する。男は「兄が大変お世話になりました」とまた一礼した。

「まあ、一杯やってください。お兄さんはいつもカウンターで飲んでいました」

高坂が促す。朋美に遠慮したのか、男は間に一つスツールを置いて座った。横顔も大庭そのものだ。

「お兄さんと本当によく似ていらっしゃいますね」

声をかけてから、少しだけ後悔した。彼にすれば、これまでうんざりするほど言われてきたことで、耳に胼胝《たこ》ができているに違いない。

「双子ですから」

案の定、そっけない反応だ。

「ご兄弟がいらっしゃるとは知りませんでした。離れて暮らしていたんですか？」

「ええ、まあ。兄は、プライベートなことは話さなかったんじゃないですか？」

「どちらかというと、寡黙な人でしたね。でも、ここで過ごす時間を楽しんでいらしたようです。お酒だけでなく」

男は、見覚えのある動きでグラスを口に運び、唇を湿らせる程度に飲んだ。

「そうですか」

短く言って、黙る。会話が続かなかった。ふだんはこういう状況も苦にせず、何とか話の接穂《つぎほ》を見つける朋美だったが、今はうまくいかず、空気が重くなっていく。マスターはグラスを磨くだけだった。テーブルも席も静かなままだ。

男が何か言う。囁くような声だったので、失礼を承知で聞き返した。

「兄は松宮さんに好意を寄せていたみたいです。お気を悪くなさらないでください。淡い想いで、敬愛の念だったようですから。おかしな下心は持っていなかったと思います」

戸惑ってしまう。

「敬愛だなんて、とんでもない。私はつまらない話ばかりして、お兄さんを苦笑させる役回りでした。お馬鹿な姐さんだから、親しみを覚えてくださったんでしょう」

「お会いして、やっぱり素敵な方だと思いました」

故人の想いを受け取ると、持て余す。他愛のない話に切り替えるべく、男の身の上について訊いたりしたが、住まいも仕事も語ろうとしなかった。

「行かなくっちゃ」

まだいくらも飲んでいなかったが、時間がないらしい。十一時が近いのに、これから別の用事があるのか。マスターに「ご馳走《ちそう》さまでした」と言う。

「もうお帰りですか。まだいらして十五分ぐらいしかたたないのに」

高坂が儀礼的に残念がる。

「皆さんのお邪魔をしてしまいましたが、きてよかった。ありがとうございます。ありがとう、松宮さん」

勘定をすませて、去った。

男が出ていき、戻ってくる気配がないのを確かめてから中久保が口を開く。

「今の人、大庭さん本人に見えましたよ」蒼《あお》い顔で言う。「いくら双子だからって、立ち居振る舞いまであんなに似ますか？」

「大庭さんは亡くなっている。本人のわけはないでしょう。脚も二本あった」

高坂が打ち消そうとしても、中久保は譲らない。

「だったら死んでいなかったんだ。そう考えるのが合理的というものです」

「おやおや、合理的というのは、私の専売特許なんだけれどね。——大庭さんが自殺したというのは、何かの間違いだったと言うんですか？」

「はい、人違いだったのかもしれません。鉄道自殺だったら、遺体はかなり損傷していたと思われます。警察が身元を確認する際、誤ることもありますよね」

そんな事例はたくさんあるだろう。新聞でもたまに見掛ける。

「そちらのお二人、どう思う？」

高坂に意見を求められ、先に答えたのはマスターだ。

「まじまじとお顔を拝見しなかったので、何とも申せません。ただ、一つ気になったことが。あのお客様は、私がうっかり『まずビールですか？』とお訊きすると、『時間がありませんから』とクバンスカヤをオーダーなさいました。とてもスムーズなやりとりだったので、まるでいつもどおり大庭様をお迎えしたように感じました」

「さすがはマスター。着眼点がいい。言われてみればそうですね。――トモちゃん、君はどうだ？」

男の一挙手一投足を思い出しているうちに、胸騒ぎがしてきた。望んでもいない結論に流されていく。

「双子の弟のふりをするわけもないと思うんですけれど、そんな先入観をとっ払うと、大庭さん本人だったような気もしてきます。彼の言葉遣いや話し方には、特に変わった点はなかったのに、それでいながら『あ、同じだ』と思わせるものがありました。違っていることは説明しやすいけれど、同じだと証明するのは難しいですね」

高坂は唸《うな》る。

「いや、重要な指摘だね。君のように有能な編集者が言葉遣いに関して『あ、同じだ』と感じた意味は大きい。俺も、だんだん同一人物に思えてきた。あれが大庭さんだとしたら、何をしにきたんだ？」

「まさか悪戯《いたずら》で現われたわけでもないでしょう。そんな茶目っ気がある人ではありませんし――」

「茶目っ気ですむ話じゃない」

「ならば、どうして双子の弟のふりなんかを？　目的が理解できない。推理してみてくださいよ、先生」

「推理と言われてもねぇ。無責任なことしか言えない」

「お、何かあるんですね？」

　中久保が身を乗り出した。推理作家は、ためらいがちに仮説を披露する。

「警察が遺体の身元を取り違えたということには、それなりの事情があってのことでしょう。何かまぎらわしい状況があったんだ。それは、大庭さんが企図したことかもしれない。彼は、自分が死んだことにしようとした。遺体は誰なのか、とは訊かないで。私に判るはずありませんからね。問題は、彼がなぜそんなことをしたか。職業柄なのか、どうしても犯罪めいたものを思い浮かべてしまう」

　大庭のことを熟知しているわけではないが、彼と犯罪が結びつかない。朋美は反論したくなった。

「文句がありそうな顔をしているけれど、落ち着いて、トモちゃん。根拠のない想像だと承知してしゃべっているんだ」

「推理小説的すぎませんか？　先生は、大庭さんが誰かを自分に見せかけて殺した、とおっしゃるんでしょう。そんなことをしたのは、殺人でも犯していて、いずれ警察に追われるのが予想されたからですか？」

「そこまで極端な話でもないんだけれどな。何かの偶然が重なって、鉄道自殺した赤の他人が大庭さんと勘違いされた。それを知った彼は、『これはチャンスだ。厄介事から逃れるために、俺が死んだことにしてしまおう』と考えたのではないか、と言っているんだ。自分を社会的に抹殺しようというのだから、ただならぬ厄介事だ。犯罪の可能性もなくはない。彼を知る者として、愉快ならざる事態だけれどね」

「それはどうかと……」

マスターは口を挟みかけて躊躇《ちゅうちょ》した。

「申し訳ありません。不躾《ぶしつけ》なことを」

高坂は平気だ。むしろ、うれしそうにしている。

「大庭さんはそんな悪人に見えない、ということですか。マスターは善意の人だ。実は、私だってそう思う。そそのかされて、下手な推理小説を作ってしまった」

「僕のせいにしないでください」中久保は抗議して「でも、犯罪のようなやばいことに無関係だとしたら、どうして彼は自分を社会から抹殺したんでしょう。よほどのことがないと、できませんよ」

「失踪《しっそう》願望があったのかもしれない。これまでの人間関係をすべて断ち切って、人生を新しくやり直そうとした、とも考えられるんじゃないかな」

朋美には、とてもではないが納得できなかった。

「先生、あまりにも適当な見方です。もしそうだとしたら、双子の弟なんかを装って、〈シグナル〉にのこのこ現われるのは変ですよ。いったん断ち切った人間関係が恋しくなるにしても早すぎます」

「このストーリーは没か。ない知恵を絞って捻《ひね》り出したのに」

推理ゲームの様相を呈してきた。夜が更け、アルコールが行き渡り、気持ちが高ぶるせいか。中久保がぐいと呷《あお》ってグラスを空けて言う。

「犯罪に絡んでいないトラブルというのもありますからね。複雑な事情があったのかもしれません。――ところで、彼は本当に大庭さん本人なんですか？　話の流れでそうなっていますけれど、実のところは未解決の謎です。当人が話したとおり、双子の弟さんだったらお笑い草ですよ」

「そうですね。そこをはっきりさせたい。何か物的証拠はないものか」

高坂は、店内に視線を巡らせた。証拠品が転がっているわけでもないだろうに、と朋美は思ったが、やがて作家は「そうだ」と手を打つ。

「彼が触ったグラスがあるじゃないか。指紋が残っているぞ。そいつを照合すれば、大庭さんと同一人物か否かが判る。マスター、そのグラスは洗わずに保管しておいてください。後日、私がコネを使って警察に鑑定してもらいますよ。大庭さんの指紋を入手する必要があるが」

朋美は、その冗談に乗ってやる。

「そんなことをしなくても、指紋の照合ぐらいここで今できますよ。ほら」マスターの背後の棚を指して「大庭さんが入れたままのボトルがあります。特別な道具を使わなくても、指紋なんて息を吹きかけただけでも浮かび上がってくるかも」

試しに自分のグラスを吹いてみると、たちまちそれらしいものが見えてきた。面白くなって、飲みかけのクバンスカヤが入っているグラスに同じことをする。

「これは……」

明瞭《めいりょう》な指紋が出てきたが、一種類しかない。マスターのものと合わせて、二人分の指紋がついているはずなのに。

「あの人の、指紋がありません」

「そんな馬鹿な」と中久保に言われても、ないものはない。グラスの持ち方からして当然あるべきところに指紋がないのだ。

ここで推理作家が本領を発揮する。

「指紋がないということは、逃亡用に薬品で焼いたのかもしれない。まずいぞ。また犯罪の匂いがしてきたじゃないか」

　朋美はそう思いたくない。理屈の上でもおかしい。

「でも、彼が逃亡者だとしたら、ここに顔を出すのは危険です。あの人、何をしにきたとお考えですか？」

　――淡い恋心を私に告白するため？　絶対ない。

「判らん。うまい説明が思いつかんな」

　また扉が開き、朋美はびくんと顫《ふる》えた。男が素性を明かすために戻ってきたのではない。常連客の一人、日本舞踊の師匠が「こんばんは」と登場する。

「通りかかったので、ちょっとだけやりにきました。今宵《こよい》のお客様は三人ですか。どうもどうも」

　和服の上にはおったコートの肩が濡《ぬ》れている。草履や足袋《たび》も。外は雨なのか。

「ひどい降りです。傘なんて役に立ちゃしない。雷がゴロゴロ、ピカピカで、まるで夕立だ」

「いつから降っているんですか？」

　マスターが険しい表情で訊く。クバンスカヤを飲んだ男は、髪も服も濡らしていなかった。
「一時間ほど前からです。車軸を流すごとき沛然《はいぜん》たる雨だ。皆さんはそれより前から
お越しだったんですな。傘立てが空っぽで、濡れてもいない。はは、名推理でしょう、
高坂さん」
師匠が歩くと、フローリングの床に濡れた足跡がつく。
「そんなの、あり得ない」
朋美はスツールから飛び降り、師匠の脇をすり抜けた。店の外に出てみたとて、大
庭の姿があるはずもない。それでもじっとしていられなくて、階段を駆《か》け上がる。
激しい雨だった。
景色が煙るほど。
茫然《ぼうぜん》として、立ちつくす。
「今夜は、推理小説がミステリーに負けたようですよ、先生」
ジオラマの人形を線路に置く時、彼の顔は悲しみで歪《ゆが》んでいたのかもしれない。
——行ってしまった。
やむ気配のない雨の紗幕《しゃまく》。その向こうで、遠い赤信号が滲《にじ》んでいた。

最果ての鉄橋

しばらく意識が飛んでいた。

――ここは、どこだろう？

仄暗《ほのぐら》いのだが、頭上から柔らかな光が注いでいて、夜明け前の短いひと時を思わせる。

――今、何時なんだ？

腕時計の針は二時十五分を指しているが、午前なのか午後なのかが判らない。よく見ると秒針は静止したままだった。

朦朧《もうろう》とする頭をひと振りして、杏野《あんの》はあたりを見渡す。

人の流れの中にいた。子供や若者は少なく、老人が多い。何かの集会に向かうところなのか？　あちこちで小さな話し声がするがほとんどの者は無言で、ぞろぞろとある方角に進んでいく。めかし込んだご婦人やタキシードに身を包んだ紳士もいたが、たいていがラフな恰好《かっこう》だ。誰もが手ぶらなのも妙で、状況がまるで呑《の》み込めない。判らないことはすぐに訊《き》けがモットーの彼は、隣を歩く恰幅のいい中年男性に声をかけた。

「ちょっとすみません。つかぬことを伺いますが、ここはどこでしょう？」

「どこと訊かれてもね」

困ったように言うが、目は笑っている。くりくりとした少年のような目だ。

「ところの名前は知りませんが、駅へ向かっているんですよ」

「何という駅に？」

「駅名なんてあるのかしら。とにかく最果ての駅です」

名前がない駅など、あってたまるものか。からかわれているのかと思ったら、相手は人懐っこく肩を叩《たた》いてきた。

「しっかりして。あなた、さっきの案内を聞いていませんでしたね？」

「何か案内があったんですか？　頭がぼおっとして、覚えていないんです。お恥ずかしい話ですが、どうしてこんなところに自分がいるのか判りません」

「お若いですね」

「はあ？」

まともな会話になっていない。だが、相手の表情は真剣そのものだった。

「お見受けしたところ、まだ三十歳そこそこでしょう。事故に遭われたのかな？」

その自覚はないし、自分の体を見ても異状はない。

「いえ、ぴんぴんしています。おっしゃっていることの意味がどうも……」

「それなら思い出させてあげましょう。落ち着いて聞いてください。あなた、死んだんですよ」

はあ？　も出なかった。

「冗談だと思うかもしれませんが、本当です。心を鎮めて現実を受け容《い》れましょう」

名前を訊かれたので答える。

「よろしく、杏野さん。私は西崎《にしざき》といいます。――よく思い出してください。病気を患っていたのでなかったら、おそらくあなたは事故で死んだんです。最後に見たものは何ですか？」

歩きながら考えた。記憶の襞《ひだ》を掻《か》き分けるうちに、次第に失われていたものが甦《よみがえ》ってくる。

三連休に大学時代の山仲間と出掛けた北アルプス。抜けるような青空の下、久しぶりの登山を満喫していたのだが、二日目にアクシデントが起きる。北薬師《きたやくし》岳《だけ》の尾根をたどっていた時、にわか雨に襲われ、うっかり足を踏みはずして――

「谷に……落ちた」

「ん、交通事故ですか？」

「いえ。山登りをしていて、滑落したんです。景色がぐるぐる回ったところまで思い出しましたが、その後の記憶がない。死んだということですか」

「残念ながら」

――落ちたのは二時過ぎだった。腕時計は、俺が死んだ時刻で止まったままなのか。

また西崎に肩を叩かれる。スキンシップによる慰めだった。

「私は糖尿病に命を奪われました。こう見えて、まだ五十五なんですよ。長生きしたって大したことはできなかったとしても、もう少し生きたかった。贅沢《ぜいたく》は言えませんけれどね。あんなのを見ると」

彼の視線の先には、幼い男の子がいた。周囲の大人たちが話し相手になってやり、当人は無邪気に笑っているのだが。

「かわいそうになぁ。まだ幼稚園にも上がらずに召されたんだ。あなたも若いが、大人になれただけまし。お気の毒ですが、潔く諦《あきら》めましょう。すんでしまったことだから、諦めるしかないんですけれど」

──俺の人生は終わったのか。

まるで実感がなかったので、悲しみも悔しさも湧いてこない。頼りない気持ちのまま、惰性で歩き続けた。

「ほら、あそこ」

短軀《たんく》の西崎が、伸び上がって指差す。行く手に平たい建物があり、人の群れはそこに吸い込まれていくようだ。あれが駅か。まばゆい明かりが洩《も》れている。

「もうすぐだ」

「ちょっと待ってください。僕は死んだんですね。だとしたら、ここはどこです？」

「あの世というやつです。いや、まだあの世の入口かな？　あるいは、この世の果てかも」

──この世の果て。だから、最果ての駅というわけか。

「そんなところに、どうして駅があるんですか？」

「知りません。私だって初めてのことですからね」

背中で含み笑いがした。振り向くと、和装の老婦人が口許《くちもと》を押さえている。二人のやりとりがおかしくて、つい笑ってしまったようだ。齢《とし》の頃は八十前後か。パーマの掛かった銀髪が美しい。

「ごめんなさい。こちらの方が大真面目に『私だって初めてのこと』とおっしゃるので、そりゃそうだわ、と思って」

西崎も釣られて破顔する。

「言わずもがなでしたね。『007は二度死ぬ』なんて古い映画がありましたが、ここにいるのは、みんな初めて死んだ人間だ」

「あら、そうでもないのよ」

老婦人が意外なことを言うので、西崎は聞き咎《とが》める。

「どういうことですか、お婆さん？」

「お婆さんはよしていただけますか。あなたは私の孫ではありません。桃井《ももい》清子《きよこ》と申します」

「や、失礼しました、桃井さん」西崎は詫《わ》びて「お伺いしてよろしいですか。ここにくるのが初めてではない人がいるんでしょうか？」

「私は二度目です」

「まさか」

「嘘ではありません。私、死にかけたんです」

詳しい説明を聞こうとしたら、前がつかえているのか、人の流れが止まる。西崎は、また背伸びをして駅を見た。

「汽車がいっぱいになったんですよ」桃井が言った。「私たちは、この次の次の次の汽車になるでしょう。急いでも仕方がありませんから、ゆっくり参りましょう」

――なるほど、ここの様子をよく承知しているみたいだ。

「死にかけたということは、死ななかったんですね？」

間抜けな訊き方をした杏野に、桃井清子は優しく答えてくれる。

「ええ。脳卒中で倒れて、お医者さんに臨終の宣告を受けたことがあります。一分後に息を吹き返したので、みんな大騒ぎ。その間に私は、このあたりまできていたわけです。だから二度目」

臨死体験をしたのか。

「蘇生《そせい》したということは、どこかで引き返したんですか？」

「ええ。汽車に乗るまでいったんですけれど、発車寸前に慌ててステップから飛び降りたんです。まだ行っては駄目だわ、と直感して。息子や孫に会う用事を思い出したんだったかしらね。そこで意識がなくなって、気がついたら病院のベッドの上です。おかげで、八ヵ月もよけいに生きられました。あのまま汽車に乗っていたら、お陀仏《だぶつ》だったのね」

その汽車は、この先の駅から出るという。つまり、この世とあの世を鉄道がつないでいるのだ。

「彼岸に渡る汽車ですか。初耳です。僕はてっきり、三途《さんず》の川を舟で行くのかと思っていました」

そう信じてもいなかったが。

「六文を払って渡し舟に乗ったのは、大昔のこと。だんだんと死ぬ人間が増えて、それでは追いつかなくなったんだそうですよ」

小舟から蒸気船へ、大型フェリーへという変遷を経て、数年前から鉄道に切り替わったのだとか。

「三途の川に鉄橋が架かったんです。巨大な橋で、それはもう大変な工事だったと聞きました」

「待ってください。桃井さんは、お亡くなりになったのは二度目だそうですね。だったら、どうしてここの長い歴史までご存じなのか……」

「この前きた時、教えてもらったんですよ。『死ぬのは二度目』という方に」

納得した。いつの時代にも一定数の臨死体験者がいて、その人物を通じてここでの出来事が口から口へと伝わっていくのだ。

「誰が施主なのか知りませんが、何故わざわざこの世とあの世の間に鉄橋を架けたりしたんでしょう？　そこまでしなくてもよさそうなもんです」

西崎の問いに、老婦人はかぶりを振る。

「必要なのですよ。当分は大型フェリーのピストン運航でも大丈夫だったらしいけれど、よくお考えになって。いいこと？　地球の人口は増加の一途ですから、亡くなる人も加速度的に増えていきます。日本など先進国では出生率が低下して人口が減りだすにしても、そういった国々では超高齢化社会が訪れて、やはり死ぬ人間は増えていくじゃありませんか。あの世を目指してどんどん人が集まってくるから、対策を講じないと三途の川のこちら岸が死者で溢《あふ》れてしまう。それで危機感を持ったんですよ」

「あの、誰が？」

「あちら岸の偉い方でしょう。お名前や役職までは存じません。私が聞いたのは、まだ汽車に乗っていない人の話ですもの」

まだ信じかねる。おかしな夢を見ているとしか思えないのだが、覚める気配は微塵《みじん》もなかった。

「でも、やっぱり変です。僕は山で滑落して死んだらしいのに、体にはかすり傷一つない。服装も登山着じゃなくて、ふだんのポロシャツです。亡者になったとは……」

「あら、さっきのアナウンスをお聞きにならなかったの?」

ここへの道々、いずこからともなく不思議な声が流れてきて、厳かに告げたらしい。〈命をまっとうなさった皆様、お疲れさまでした。これより彼岸にご案内いたします。まっすぐ進んだところにある駅から列車にお乗りください。後戻りはできません。列を乱したり、立ち止まることのないように〉と始まり、現状について色々と説明してくれたのだとか。ここにいる者はみんな死者であること。死因の如何《いかん》に拘《かかわ》らずあらゆる苦痛から解放されていること。生前、最も自分らしくいられた時の出《い》で立ちになっていること。彼岸では、極楽行きと地獄行きを分ける審判が待っていること等々。

「まるで耳に入りませんでした。死ぬほどぼんやりしていたんでしょうね」

「死ぬほど」がおかしかったのか、老婦人は、おほほと笑った。

「聞いたか、聞いたかね、諸君?」

斜め後ろで男が言った。見ると、男女十人ばかりのグループだ。

「汽車に乗ってしまって、鉄橋で三途の川を渡ったらおしまいだ。その前に引き返せば娑婆《しゃば》に帰れるらしいぞ。希望が見えてきたじゃないか」

すらりと長身で、高級そうなダブルのスーツを着こなし、古風な映画俳優風の渋い二枚目だったが、バナナの叩き売りのようなひどい濁声《だみごえ》だ。一団は、桃井の話に聞き耳を立てていたのだ。

「希望でしょうか。後戻りはできないってアナウンスしていましたよ、社長」

Tシャツ姿の若い男が遠慮がちに言う。濁声の男を社長と呼ぶのだから、仕事上の部下か。他の面々も同様らしい。

「しかし、現にこのご婦人は汽車に乗らなかったおかげで、一度は生き返ったんだぞ。――そうですよね？」

こちらに顔を突き出してきた。

「ええ、そうです。でも、普通は降りられませんよ。私の場合、たまたま車掌さんが気を取られているようなことがあったので、その隙を衝《つ》いたから飛び降りられたんです。あんなことはもう起きないでしょう。ですから今度はじたばたせず、あの世に旅立つつもりです。もう満足がいくだけ生きましたし」

「なんと素晴らしい諦念《ていねん》でしょう。私も、いつかそんな境地にたどり着きたいものです。が、今はまだ無理です。八田《はった》和文《かずふみ》、四十九歳。文字どおり往生際悪く生き返って、もっと働いて、うんと遊びたい。エネルギーを放出しきっとらんのです。――君も生きたいだろ、香取《かとり》君？」

「もちろんです！」

派手なタンクトップの女が言った。いたく立腹している。

「なんで二十三歳の身空で死ななくっちゃならないんですか。あたし、我慢できません。やりたいことが、まだまだ山ほどあるのに。――そうよね、岡本君《おかもと》」

「はい。香取さんと、また海へ行きたいっすよ」と後輩らしき男。

「君たち、一緒に海に行く仲だったのか」外見だけダンディな八田社長は、二人をじろりとにらんでから「そうだな。できるものなら生き返りたいというのは人情だ。諸君。がんばってみんなで生還しよう」

オーと何人かが拳《こぶし》を突き上げた。杏野が気圧《けお》されながら素性を尋ねると、彼らは小さな工務店の社長と社員で、慰安旅行に出掛けた先でバスが谷底に転落し、不幸にも揃って死んでしまったらしい。

「そんなわけですから、死にきれない一同、がんばってみます。私たちが逃走する際、車掌の注意を引くなどして、アシストしていただけるとありがたいのですが」

八田が虫のいいことを言うと、西崎は強い口調で拒絶した。

「お断わりします。そんなことをしたら、あの世での覚えがめでたくなくなって、審判で地獄行きにされてしまうかもしれない。真っ平ごめんです」

そう言って、杏野にそっと肘打《ひじう》ちをした。あなたも断わった方がいい、という忠告だ。西崎に倣うことにした。

「そうですか。おっしゃるのは、ごもっとも。甘えたことを言って、すみませんでした。自力で何とかします。――いいね、諸君。われわれだけでなし遂げよう。チームワークを発揮すればできるはずだ！」

社長の檄《げき》に、またみんなの拳が上がった。

そうこうしているうちに列が動きだして、駅が近づいてくる。かなりの規模だったが、カステラの箱のように四角く無個性な建物だった。杏野は失望する。生命果つるところに建つ極北のターミナルなのだから、風格を具《そな》えていることはもちろん、何か胸に迫るような意味を持つデザインであって欲しかった。大量死の時代を見据えた効率主義でできたものに、そこまで望むのが間違っているのだろうが。

駅舎に入ると、観光ポスターも行き先案内も時計もないため、ひどく殺風景だ。建物内にも光源不明の明かりが射し、彼誰時《かわたれどき》の薄明がいつまでも続く。

「三人ずつ横にお並びください」というアナウンスに誰もが素直に従い、行列は蛇行しながら粛々と改札口へと進んでいった。切符はいらないようだ。

「いいか、諸君。これから列車に乗り込むが、車掌を見掛けたら私が声をかけて些末《さまつ》なことを質問する。適当にあしらわれても放さないから、その間に岡本君が飛び降りろ。騒ぎになる。そうしたら、次に——。質問かね、香取君？」

　例の一行が作戦会議をしている。

「はい。汽車に乗ってしまったら、降りられなくなるかもしれません。だからあたし、思うんです。改札口をくぐる前に脱走した方がいいんじゃないですか？」

「そうかもしれないが、そうではないのかもしれない。さっきのご婦人の話を思い出しなさい。あの人は、汽車から降りるなり意識をなくし、蘇生している。いったん乗車することが肝要なんじゃないか。私はそう考えるんだ。これは経営者としての直感だがね」

　会社経営とは関係ないだろうが。

「でも、乗ってしまうのは怖いですよ、社長」

「その社長っていうの、娑婆に帰るまでよそうか。今は死んでいるんだから、社長も平社員もない。無礼講でいこう」

　そういうのを無礼講と呼ぶか、と杏野は突っ込みたかった。緊張が高まってきたのか西崎は押し黙り、桃井は小さな声で念仏を唱えている。周囲からも、囁《ささや》くような念仏やら聖書の一節の暗唱やらが聞こえてくる。

「あの人！」

香取が不意に叫んだ。

「ほら、あそこのゴルフウェアの人！」

後方に見知った人物を発見したらしい。八田はのけぞってから、「ちょっと行ってくる」と列を離れる。杏野は何事かと思い、岡本に「どうかしたんですか？」と訊いた。

「僕らが乗っていたバスの運転手さんがいたんです。一緒に落ちたんだもの、そりゃ助からなかったでしょう。『いないねぇ』と、さっきから捜してたんっすよ」

おとなしそうな運転手は米搗《こめつ》きバッタのように頭を下げ、八田がなだめていた。その意味を推測し、岡本が解説してくれる。

「事故の原因は、落石でした。誰の責任でもありません。それでも運転手さんが恐縮しているので、社長が『気にしなさんな』と言っているところです」

「いい人じゃないですか。皆さんもお優しい」

「社長があいう人なので、アットホームないい会社でした。また勤めたいなぁ」

八田が戻ってくる。運転手も逃走に誘ったのだが、「運命には逆らいたくありませんので」と固辞されたそうだ。杏野は頷《うなず》き、自分も定めに身を委《ゆだ》ねる覚悟を決めた。

そうすると、清々《すがすが》しい気分になってくるのだった。審判とやらが不安ではあるが、特に不道徳な人生ではなかったつもりだ。

切符を持たないまま改札口を抜けると、プラットホームが二面あった。手前のホームに、純白の客車を十二両連ねた列車が入線している。桃井は汽車と称していたが、ＳＬが牽引《けんいん》するわけではなく、先頭はディーゼル機関車だ。いや、それともちょっと違う。娑婆にはない動力で走る機関車なのだろう。

駅員がいた。目深に制帽をかぶり、濃紺の制服を着ていて、純白の手袋が眩《まぶ》しい。顔も体つきも中性的で、男にも女にも見える。抑揚の豊かな独特の節回しで案内を始めても、やはり性別は不明だった。

「ぁどなた様も立ち止まらず、前にお進みください。ぁ後ろの車両から順にお詰め合わせいただいております。ぁ押し合わず、整列乗車にご協力をくださいますよう、ぁお願い申し上げます」

ふと目が合い、ぞっとした。白目と黒目が反転していたからだ。人間ではない。ここがまぎれもなく異世界の入口であることを思い知らされた。

八田社長ら一行が、おとなしくなった。先ほどまでの威勢のよさは影を潜めて、まさに葬列だ。抵抗しようのない不可視の力を感じてきたのだろう。運命の力を。

杏野の脳裏に、郷里の両親や妹、幼馴染《おさななじ》みの顔が浮かんでくる。三十一年の生涯を振り返り、しみじみとした気分に浸った。そして、ようやく死を受容する。

駅員の誘導に逆らう素振りを示す者はいなかった。前回、隙を見て列車を飛び降りたという桃井には、現世によほどの未練があったのだろう。臨死体験をして生き返るなどということは、非常に稀《まれ》なのだから。

ホームを進んでいくと、別の駅員が手振りで指示を出している。杏野たちは、先頭車両へ乗り込んだ。乗降口にはやはり白い瞳《ひとみ》をした車掌が立っていて、カウンターで乗客を数えている。八田たちが乗ったところで、「はい、ここまで」と列を切った。

車内は、すべて四人掛けのボックスシートで、快速列車程度の内装だ。立ち客は乗せないらしく吊《つ》り革はない。

杏野は、西崎と並んで座った。西崎の前には桃井。その隣の席を狙っていたのか、八田が「ちょっと失礼」と他の乗客を押しのけてやってきた。それに続いてやってきた部下たちが、周囲のボックスを埋める。

「しばらくご一緒させてください。色々とお話が伺いたいので」

社長は愛想笑いをするが、桃井はつれない。

「これから先のことは、私は何も存じませんので、お話しすることはございません。しばらく回想にふけりたいので、おかまいなきよう」

「そうですか。はい、判りました」

八田は少しバツが悪そうだ。

全員が着席し、扉が閉まる。出発の時がきた。この駅にも二度とくることはないのだな、と杏野は車窓に目をやる。乗り込んだホームには次の列車回しになった者たちが整然と並んでおり、反対側のホームにも死者たちが誘導されている。おそらく次の列車は、あちらに着くのだ。そのさらに向こうは、ぼんやり暗く仄かに明るい乳白色の闇が続くばかりだった。

時刻表などないらしい。汽笛の一つも鳴らず、ホームにベルが響くでもなく、まるで大地が傾いて球が転がり始めるように、列車はゆっくりと動きだした。

「お、出た。途中に停車駅なんてものはないんでしょうね」

「当たり前じゃないの。川を渡ったら、すぐあの世よ」

後ろのボックスで岡本と香取の声がする。周囲を憚《はばか》ってか、低く抑えた声だった。

「そりゃそうっすね。三途の川を渡るだけですもんね」

「この電車、〈三途ライナー〉とか名前がついてそうよ」

――いよいよこの世とお別れだというのに、馬鹿なことを言ってやがる。

杏野は、不思議な闇の中に何か見えないものか、と目を凝らす。窓際の西崎は、ガラスに額をくっつけんばかりにしていた。

「……何も見えん」

どこまでも、ただ茫漠《ぼうばく》と、縹渺《ひょうびょう》と、無が広がっているのだろう。あるいは、死してもなお人が見てはならぬ世界の秘密が隠されているのかもしれない。

「車内放送の一つも欲しいもんだ」

八田が不満げに呟《つぶや》いたところで、後部の扉が開き、デッキにいた車掌が入ってくる。車内の声がやみ、水を打ったように静かになった。切符を拝見と言われたらどうしよう、と杏野は緊張する。そんなものは誰も持っていないと承知しているのに。

「しばらくのご乗車です。走行中は危険ですから、席をお立ちにならないようにしてください」

死んでいる人間に危険と言われてもな。そう思った杏野は、小さく頰を抓《つね》ってみた。痛感がある。転ぶと痛いぞ、と注意してくれているのだ。

それ以上の説明はなく、車掌は黙ってしまう。車内の空気が重くなり、八田はもぞもぞ尻《しり》を動かした。カタタンカタタンと車輪がレールの継目を拾う音だけが、やけに軽快で楽しそうだ。

旗が立つように、細い腕がまっすぐに挙がった。香取だ。

「訊いてもいいですか？」

車掌は「どうぞ」と応じる。

「列車が駅を出てしまったということは、あたしたち、完全に死んだんですね？」

「そうご理解いただいて結構です」

八田が肩を落とす。香取は続けた。

『はい』とは答えないんですね。ということは、列車が向こう岸に着いた時点で完全に死ぬ、ということですか？」

「厳密に言えばそういうことですが、列車はじきに彼岸に着きます。ほら、もう川を渡りますよ」

大きく右へカーブしながら、勾配《こうばい》を上っている。橋が近いのだ。窓を見ると、白い闇が濃かったが、何か大きなものが迫りくる気配が感じられた。

「鉄橋です」

言われなくても判る。足の下から聞こえてくる音が轟々《ごうごう》と恐ろしげなものに変わった。窓際の者たちは、中腰になって車窓を覗《のぞ》く。橋桁《はしげた》を吊ったハンガーロープが後方へと飛んでいくのだけが見えていた。

「下はどうなっていますか？」

西崎に尋ねると、彼は無言のまま体を入れ替えてくれる。三途の川とはいかなるものなのか、それこそ冥土《めいど》の土産に拝んでみたかった。

息を呑んだ。

霧のごとき闇の向こう、目測が難しいが三十メートルほど下に、漆黒《しっこく》の川面《かわも》が見えた。とにかく暗く、黒い。まるで闇そのものが流れているかのようで、見つめていると吸い込まれてしまいそうだ。恐怖を感じ、席に戻った。

「一度きりしか渡れない橋です。よくご覧ください。窓際の方は、通路側の方にも見せてあげていただけますか。左側の窓の方が、川がよく見えるでしょう」

複線になっており、右に座ったら回送列車用の線路が見えるらしい。やがて橋の中ほどで、空っぽの列車とすれ違うわけだ。

「車掌さん、車掌さん。この橋は、どういう構造になっているんですか？」

八田社長だった。

「呑気《のんき》な質問ですみませんが、工務店を経営していたもので、土木建築的興味に駆られまして」

「吊橋《つりばし》です。橋脚は四本あります」

「ほお。すると三途の川には、島があるんですね？」

「いいえ。島はありません」

「だったら、どこに橋脚を？」

「浅瀬にケーソンを沈めて建てました」

「しかし、この川はかつて大型フェリーが行き来していたんでしょう。なのにそんな浅瀬があるんですか？」

「千尋《ちひろ》の深さですが川底の地形が複雑で、山脈のように盛り上がった箇所があるのです。そのためフェリーの航行に支障をきたすことがあり、橋を架ける理由の一つになりました。主たる理由は、輸送力の増強ですが」

見掛けは無気味だが、車掌は訊けば丁寧に答えてくれる。

「橋の全長は？」

「それはお答えできない決まりになっています。しかし、渡ってみれば見当がつくでしょう」

社長は腕組みをして、窓の外を見る。それほど大きな工事を請け負っていたとも思えないのだが、職業的興味が湧くらしい。

「珍しい工法が採用されているようですね。珍しいというより、見たことがない構造をしている。これだけの橋なのにハンガーロープがこんなに細い。よく建ってるもんだ」

「娑婆とは違いますので」

物理法則が異なっているということか。車掌の口から娑婆という言葉を聞くと、そこが遠い彼方《かなた》に去ったと感じられる。

列車が大きく上下に揺れた。鉄橋に入ってから振動が激しくなっている。

「路盤がよくありませんな。新しい鉄橋なんでしょう？」

「完成したのは一年三ヵ月前です」

「うちの会社が請け負ったら、もっといい仕事をしましたよ」

大手ゼネコンのようなことを言う。もちろん冗談だろう。車掌は何も応《こた》えなかった。

「かなり長い」八田は独り言《ご》つ。「吊橋というのは、二本の主塔《タワー》に渡したメインケーブルとハンガーロープで橋桁を吊り上げる。一本目の主塔は、全体のおよそ四分の一の地点に建てるものなんだが、まだそれを通過しない。三途の川が大河だとは知らなかった」

社長の質問が途切れたところで、また香取が挙手する。

「これ、本当に三途の川なんですか？　あたしがお祖母《ばあ》ちゃんから聞いていたのと全然違うんですけれど」

いなかった。

「どういうふうに？」

黒白が反転した目が、杏野にはやはり恐ろしい。しかし、香取はまるで物怖《ものお》じしていなかった。

「渡り方が三つあるから三途の川っていうのよ、と言ってました。生前の行ないがよかった人は舟に乗れて、それほどでもなかった人は浅瀬を歩いて渡って、悪いことをした人は流れの速いところを苦労して渡ると聞いたんですけれど、電車でみんないっしょくたなんですね。方針が変わったんですか？」

「別に方針の転換があったわけではありません。昔は、誰もが舟で彼岸に渡っていました。お祖母様がお話しになったのは人間の想像の産物であり、単なる伝説です。先ほども申したとおりこの川は深くて、歩いて渡れるものではありません。婆婆の方々が考えたよりも、彼岸は遠いのです」

「でも、川を舟で渡るという点は一致していたんですね。向こうに着いたら、お裁きがあるというのも」

「ええ、想像力というのは馬鹿にできませんね。ただ偶然が的中したのではなく、彼岸の際まで行って引き返した方の口から、真実の片鱗《へんりん》が伝わったとも考えられます」

「……引き返せるのか？」

八田の呟きを、車掌は聞き逃さなかった。白い瞳が滑らかに動いて、社長を見る。

「虚《むな》しい期待はお棄てになることです。この列車は止まりません」

大きな影が車窓をよぎった。吊橋の主塔の一つだ。ようよう四分の一を過ぎた。橋を渡り始めてから五分近くがたっていたから、渡りきるまで二十分ばかり要する計算になる。瀬戸大橋以上のスケールがありそうだ。

遠慮がちに岡本が手を挙げた。車掌と目が合うのを避けているのか、うつむいたまままで尋ねる。

「お裁きというのが気になるんですが……。どんなものなんでしょう？」

車内の空気が張りつめた。誰もが無関心でいられない質問だ。

「あなたが特に悪《あ》しき生き方をしてこなかったのなら、ご心配には及びません。ほとんどの方は、同じところに行きます。苦しみのない世界です」

「あなたなら大丈夫よ、岡本君」香取が力づける。「いい人だもの。あたしと同じところに行けるに決まっているわ」

「私はどうかね？」

八田が嘴《くちばし》を挟む。

「社長もノープロブレムですよ。いい人じゃないですか。それとも……裏で何かやっていたんですか?」

「とんでもない。私ほど裏表のない人間はめったにいないよ。裏の方がクリーンなぐらいだ。とはいえ、どうしても気になるね。苦しみのない世界に行けない者もいるらしい。それはつまり……」車掌に向かって「いわゆる地獄ですか?」

「はい」

杏野は背筋が伸びた。よもやそちら行きを命じられることはないだろうが、地獄が実在していると聞いて平静ではいられない。てっきり迷信だと思っていた。

「地獄に足を踏み入れながら、娑婆に戻れた者はかつて一人もいません。それなのに、人間はかなり正確に地獄の様を語り継いできました。直感のなせる業でしょう。そこがどんなところなのか、皆様はおよそのことをすでにご存じです」

「すると……針の山、血の池なんてものが、本当にあるんですか? 極寒地獄やら灼《しゃく》熱《ねっ》地獄やらも」

発言の許可を求めることも忘れて、西崎が訊いた。蒼《あお》い顔をしている。

「はい。しかし、ほとんどの方には関係がありませんから、くだくだと説明するまでもないでしょう。聞くだけで不愉快ですし、もし万一そちらに墜《お》ちる方がいたとしたら、厳しい現実を知るのを少しでも先送りしてさしあげたいと思います」

うぅっ、と呻《うめ》く声がした。見ると、後ろの方で初老の男が背中を丸めて、わなわなと顫《ふる》えている。何故、彼はそこまで怯《おび》えているのか？　地獄の存在をおぞましく感じたからなのか、身に覚えがあるからなのか、窺《うかが》い知ることはできない。そばの乗客は、哀れむような目を男に注いでいた。

——俺は大丈夫だ。立派でもないけれど、人並みの人生だった。どっしり構えていればいい。

恐怖の感染を払うため、杏野はあらためて自分に言い聞かせた。

「そろそろ彼岸が見えてくる頃です」

車掌が腰を折って近くの窓に顔を寄せたので、乗客らもいっせいに外へ目をやる。行く手に、黒い影があった。長く横に延びた陸地——彼岸だ。あの世が見えてきた。桃井が合掌したので、杏野もすぐに倣った。

あの世の輪郭が、少しずつ明らかになっていく。峨々《がが》たる山並みに、乗客たちの間から驚嘆の声が洩れた。まるで鮫《さめ》の歯のような山脈で、見るだに険しい。苦しみのない世界という言葉に希望を見出《みいだ》そうとしていたのに、これでは彼岸そのものが地獄のようではないか。

「聳《そび》えているのは地獄の山々です。崇高にして幻想的な眺めをよくご覧ください」

車掌がガイドを始める。

「ご安心を。たいていの皆様は、お裁きがすむと天上へと向かいます。先ほど申した苦しみのない世界です。よほどの罪を犯していなければ、あの暗鬱《あんうつ》な山々に追いやられることはありません」

怯えている男を振り返ってみたら、放心した顔で車窓を眺めていた。異境の絶景を目《ま》のあたりにして、恐怖すら忘れてしまったのかもしれない。

ガタンと、また大きく揺れた。さらに一度、二度。通路に立つ車掌がふらついた。いつもこうなのか？　いや、そうではない。車掌の眉間《みけん》に皺《しわ》が刻まれるのを、杏野は見た。

——さっさと渡ってしまいたいな。

まだ二つ目の主塔までできていない。今がちょうど橋の中ほどあたりだろう。

「何か燃えているわ」

桃井が指差す。剣のように尖《とが》った頂の付近に、ちらちらと赤いものが見えた。

「溶岩が煮えたぎっているのです」車掌は言う。「そこで亡者がどんな責め苦を受けているのかは、語らずにおきましょう。反対側の窓をご覧になっていれば、もうじき山肌一面に針が植わった山が見えてきます。遠目には美しいものですよ。さらにその右手には――」

車窓案内は中断する。列車が急ブレーキをかけたため、車掌がつんのめって転んだのだ。腰を浮かしていた杏野も、座席に倒れ込む。あちこちで悲鳴があがった。

「〈三途ライナー〉、運転荒すぎ!」

岡本にもたれかかりながら香取が叫ぶが、運転が乱暴なのではない。列車は緊急停止をしようとしているのだ。それにしても凄《すさ》まじいブレーキのかけ方だ。車輪と線路の間で、火花が散っていることだろう。

車掌は床を転がる。列車はなかなか停止せず、耳を覆いたくなる金属音が尾を引いた。

――もう止まる。すぐ止まる。

杏野は手摺《てす》りにしがみついて耐えたが、次の瞬間、衝撃で通路に飛ばされた。その上に、西崎の体が重なる。

何かにぶつかり、脱線した。右の車窓がせり上がり、ゆっくりと左に傾いていく。倒れる直前に見た。右手に回送列車が横転しているのを。まさかこんなところで鉄道事故に遭遇するとは。

線路をはずれながら倒れた列車は二番目の主塔に激突し、折れた。裂けた車両から八田が外に投げ出される。

「しゃちょおおおおお！」

香取が絶叫した。杏野は懸命に体勢を立て直して、裂け目を覗いてみる。八田は、ハンガーロープに右腕一本でぶら下がっていた。

「八田さん、がんばって！」

引っぱり上げてやらなくては、と手を伸ばしたが届かない。社長は、苦悶《くもん》の表情のまま毒づいていた。

「手抜き工事だ。悪徳業者っていうのは、どこの世界にもいるんだな。けしからん」

「僕の手を——」

言いかけたところで、ふっと相手の姿が消える。水音も聞こえなかったが、墜ちたのだ。力尽きたのか。

——いや、それにしては……。

最後の瞬間、彼の顔に笑みが浮かんだような気がする。

——照れて笑ったわけでもないだろう。きっと錯覚だ。

精一杯、首を突き出した。川面は遠く、真っ暗で、八田が残した波紋すら見えない。

杏野は、ごくりと生唾《なまつば》を呑む。墜ちたらひとたまりもない高さだ。

八田は、自らの意志で進んでロープから手を放したのかもしれない。度胸さえあれば、自分もその後を追えるが……。

——俺にはできない。

唇を噛《か》み、川面を見るしかなかった。

【東都新聞　9月26日　朝刊】

24日に鬼沢《おにさわ》スカイラインから谷底にバスが転落し、運転手と乗客の11人が死亡する事故があったが、25日の午後7時過ぎ、乗客の一人である八田和文さん（49）が通夜の席上で突然に生き返った。完全に死亡が確認されていただけに、ショックのあまり失神する関係者が続出し、奇跡がパニックを引き起こしている。

赤い月、廃駅の上に

その十七歳の少年は――

いや、義務教育を修めているのに、少年は変か。

しかし、人を殺した十九歳の男は少年と呼ばれる。それならば、十七歳の彼は立派な少年だろう。といっても、彼は人殺しではない。

ああ、出だしから躓《つまず》いた。

少年ということにして、書き進めよう。

五月の半ば。

少年は愛用のクロスバイクで旅に出た。大型連休が終わり、この次は七月まで祝日がないことをぼやきつつ学校へ行くべき時期だったが、一年生の秋から不登校を続けている彼には関係がなかった。

少年なんて呼ばず、彼と書けばよかったのか。馬鹿みたいだ。

彼が学校に行かなくなった理由など、どうでもいい。いや、それでは投げやりすぎる。教師や級友らと、円滑なコミュニケーションができなくなったため、とだけ書いておく。

両親は、一人息子の登校拒否に落胆しただろう。しかし、事態がさらに悪化することを恐れたのか、「しばらく好きにしなさい。自分を見つめ直すのもいい」と、腫《は》れ物に触るように接した。

終日部屋にひきこもり、ゲームやネット三昧《ざんまい》というタイプではなかったから、昼間は街に出てぶらついた。公園のベンチや図書館で何時間も過ごし、ファストフード店でコーラを飲みながら学校帰りの女子高生をぼんやり眺めたりし、日が暮れる頃には家に帰った。

夜は、音楽を聴きながら小説を書いた。自分でも面白いのか面白くないのか判らないようなものしか書けなかったが、人に会わずにすむというだけで、小説家になれたらな、としばしば夢想した。

それだけでは退屈すぎる。高校に進学した祝いに父親がプレゼントしてくれたクロスバイクに乗り、月に一度は遠出をした。短い時で二日、長い時には一週間ほど。旅先で無茶をしないようにと、母親は充分すぎるほどの小遣いを与えた。毎日欠かさず電話を入れることを条件に。

自宅からペダルを漕《こ》ぎだすこともあれば、目的地近くに自転車を送っておき、寄り道をしながら家に戻ることもあった。道中、彼は心からの開放感にひたり、行きずりの人たちと言葉を交わすことを楽しんだ。

対人関係がうまくいかずに学校を去った彼だが、見知らぬ人間とは不思議なくらい気軽に話すことができた。道端に咲いた花を見ては、「あれは何というんですか？」と近くにいた老人に尋ね、乳母車の幼児が手を振れば「可愛いお子さんですね」と母親に愛想を言った。誰も自分を知らない国に行けたらな、と希《ねが》いながら、その希望がすぐにはかなわないから、自転車旅行を繰り返したのだ。

五月の半ばといえば、緑が最も美しく、風に吹かれるだけで幸せになれる季節だ。彼は、一週間ほど家を空けることにした。父親は、旅が息子によい影響を及ぼしていると感じているらしく、笑って頷《うなず》いた。母親は、なるべく早く帰ってくるように、と強く言った。「近頃は物騒だから」という口癖とともに。

彼は、これまでで最も遠くに自転車を発送した。帰り道でへばりそうな気もしたが、その場合はサイクル便で自宅へ自転車を送り、電車に乗ればすむ。

発《た》つ前日は、てきぱきと荷物をリュックに詰め、地図を確かめてから早めに寝た。


何が見たかったわけでもない。これまで馴染《なじ》みがない地方を選んだだけだ。

海沿いの小都市から出発し、国道を走って山を越え、盆地の町で一泊する。翌日は、清流を右手に見ながら山襞《やまひだ》の奥へ。きつい峠もあるが、これまでの旅で自分の脚力がどれほどのものかは判っていたので、それほど無理のあるルートではなかった。三日目は山中の温泉宿に泊まり、さらに南を目指す。そこまできたら下ることが多くなり、行程はしだいに楽になるのだ。

二日目の夕方、山中で大粒の雨に打たれたのはつらかったが、ほぼ計画どおりに旅は続いた。朝八時に出発し、六時には宿に落ち着く。その繰り返し。峠越えがあるので、一日の走行距離は三十キロ以内に収めたのが正解だったらしい。ひと晩寝たら、いつも疲れはきれいに消えていた。

人との出会いが乏しかったことだけが、物足りなかった。初日に立ち寄った神社で掃除をしていた宮司と会話を交わし、「気をつけていきなさい」とお守りやお札をもらったぐらいで、ろくに口をきいていない。山道を走るのだからやむを得ないとはいえ、人恋しさに駆られてしまい、宿では「おしゃべりなお客さんだぁ」と笑われた。

旅の間は、ずっと大学生と称した。童顔の十九歳を演じたわけだ。話好きと思われたせいで、宿の主人の晩酌に誘われもした。ビールをコップ半分だけ飲むと、顔が火照《ほて》った。

「未成年にアルコールを勧めて、悪いことしました。申し訳ない」

詫《わ》びながらも、白髪頭の主人はにこにこ笑っていた。

「明日《あした》もたっぷり走りなさるんでしょう。無理に付き合わんでください。まぁ、お天気はよさそうですけれど」

半開きの窓から、満月に近い月が覗《のぞ》いていた。夜空には雲がなく、星がよく見える。

「ほんのり赤いな」

「そうですね」と相槌《あいづち》を打った。

主人はコップを片手に、月を見上げる。

「空気中の塵《ちり》やら何やらの加減で、あんな色になるんでしょうな。もっと赤くなったら、ここらへんではダイダイ月とか鬼月とか言います」

「ダイダイって……ああ、橙色《だいだいいろ》の橙ですか。鬼月というのは、鬼の月？」

「そうです。恐ろしげな名前でしょう。邪気を招くというて、縁起がよくないとされる月です」

「悪いことの前触れですか?」

「よろしくないものがくるので、家の外に出るなとか言われています。古い迷信ですよ。それでも田舎のことですから、気にする人もおります」

「そうですか。僕は外に出たりせず、早寝するから大丈夫ですね」

「まだ平気ですよ。鬼月というのは、あんなもんではない。真っ赤な月のことですから。——早寝のお邪魔をしてはいかん。どうも失礼しました」

父親よりひと回りも年長の主人と一時間ばかりも話し込んだ。彼は、そのことに満足して床に就いた。


四日目の朝。

宿を発ち、峠道を下っている時、彼の心境に変化が生まれた。

学校に戻る気にはなれないが、遊んでばかりいるのも居心地がよくない。とりあえずアルバイトでも始めてみたくなった。一人旅のおかげで、失っていた自信が回復してきたらしい。他人に共感し、自分の気持ちをさらす力が強まったのだ。

――仕事を探そう。

そう思うと早く家に帰りたくなってきたが、その前にすることがあった。今の旅をしっかり味わうことだ。まだゴールへの道のりは遠いし、今夜はちょっとした冒険を計画している。

二時過ぎに、国道沿いのレストランで遅めの昼食をとった。寂《さび》れた店ではあったけれど、出てきたカツ丼があまりにおいしくて驚いた。食べ終わってからテーブルに地図を広げ、指でなぞりながらこの先の道を確かめる。

「そのあたりには何もないよ」

水を注《つ》ぎにきた女主人が言った。無愛想だったので話しかけなかったのだが、実は世話好きらしい。

「汽車、こなくなったから。その地図、古いね」

彼女は腰に片手をやって、地図を見下ろしている。

「これ、家にたまたまあった地図なんです。十年以上前のかな。電車が廃線になったのは知っています」

「そうか。自転車で旅行してるんだから、汽車に用はないね。でも、駅の場所を探してるみたいだったけれど」

「駅に用があるんです」

「あそこは……」

言いにくそうにしたので、彼はこっくり頷いた。

「それも知っています。男が一人で行くところじゃないみたいですね。でも、ちょっと見てみたいんです。物好きなんで」

「見たって面白くも可笑《おか》しくもないと思うけれど。最近はアベックもこなくなったらしいしね」

女主人は、彼の母親と同世代だろうか。母親もアベックという言葉をよく使った。

「本当に何もないからね。ジュースの販売機もないからね」

よせばいいのに、と言いたげな女主人に見送られて、またペダルを漕ぎだした。道はほとんど平坦《へいたん》になり、スピードが上がる。風が顔にぶつかった。

一時間ほど行くと杉木立が疎《まば》らになってきて、田植えがすんだばかりの里山の風景が見えてくる。ひらひらと舞う蝶々《ちょうちょう》の白や黄色が、緑の中に映えていた。

コンクリート橋の上で自転車を止め、光がまぶしく乱反射する水面《みなも》を見ているうちに、川原に下りてみたくなる。清流だった。せせらぎの底で女の髪のような水草がゆらぐのを眺めているうちに、瞼《まぶた》が重くなってきた。瀬音と疲労が睡魔を呼び込む。柔らかな草叢《くさむら》をベッドに木陰で横たわり、誰に遠慮することもなく眠った。

目が覚めると、太陽は随分と低くなっていた。二時間が過ぎていることに驚いてから、自転車に跨《また》がった。

五時半を過ぎて、町に着いた。たいていの住民の顔と名前が一致しそうな規模の町だったが、山越えをしてきた目には賑《にぎ》やかに映る。時代遅れの町並みが懐かしさを誘ったので、火の見櫓《みやぐら》や錆《さ》びた看板、塀の上で丸まった猫にカメラを向け、立て続けにシャッターを切った。

コンビニ風の食品店があったので、ジュースと菓子類、そして夕食用の鮭弁当を調達した。今夜は宿に泊まらない。明るいうちに目的地にたどり着くため、六時には町を離れることにした。

ポストが立つ角を左に折れ、西へ走っていくと、道はうねうねと曲がり、人家がなくなっていく。駅に向かっているというのに、淋《さび》しくなるばかりだ。

二十分ほど走っただろうか。さっきの川が蛇行して、前方にまた現われた。橋を渡ると、廃線跡があった。レールは撤去されており、砂利の隙間から雑草が生えていて、緑の道のようだ。ゆるやかにカーブしたその道の先に、木造の駅舎とホームが見えた。周囲にはろくに民家がない。何軒か平屋が建っていたが、近づいてみたらどれも空家だ。

――本当に何もない。

列車が通わなくなったのだから、人の気配がないのも当然だが、もともと鉄道は町から離れたところを走っていた。奇異な感じがした。

自転車を降りて、まずは駅舎を正面から眺めてみる。捨てられて十年近くがたつから荒れてはいるものの、町はずれに位置するローカル線の駅としては意外に立派だ。しかし、切妻屋根の建物全体が心持ち左に傾いているようでもあった。窓ガラスが割れたりはしていなかったが、ひどく汚れていて、中が見えないほどだ。

駅舎に入る前に、右手のトイレに向かった。ずっと尿意をこらえていたのだ。相当の覚悟をしていたので顔をしかめることもなかったが、いかにも不潔な有様で、湿って澱《よど》んだ空気が不快だった。自分が望んでやってきたのだから、誰に文句を言う筋合いでもない。もちろんのこと洗面台の蛇口を捻《ひね》っても水は出なかったが、側溝を山からの湧き水が流れていたので、屈《かが》んで手を洗った。

手を拭《ぬぐ》い、いよいよ駅舎に入る。すぐ右手が待合室、その奥が出札窓口だ。中に一歩踏み込むなり、「ああ……」と声が出た。

壁一面に色とりどりの短冊やらハンカチが貼りつけられていることは、雑誌の写真で見て知っていたが、これほどの量だったとは。テレビでも紹介されたことがあるので、その後に大勢のカップルがやってきたのだろう。

壁に寄って、いくつかの短冊に記されたメッセージを読んでみた。

〈健介《けんすけ》&みさと　いつまでも♡〉

〈永遠の愛を誓って……　毅《たけし》×由里華《ゆりか》〉

〈カズ　LOVE　クミ〉

似たようなことが書いてある。ハンカチには、相合傘が目立った。

〈幸せ〉という言葉も、浅ましいまでに氾濫《はんらん》している。苦笑したくなった。

五年ほど前、この小駅にカップルでやってきて、愛のメッセージを残すのが流行した。駅名が、恋人たちを祝福しているかのように解釈できなくもないからだ。二人でここにきて、永遠の愛を祈れば幸福になれる。本気で信じる者はいなかっただろうが、ドライブデートで立ち寄るには面白い、と思うカップルが大勢いたのだ。近辺にはろくに観光スポットがないことも、かえってプラスに作用した。メッセージのためだけにわざわざ赴《おもむ》く、というのが一興だったらしい。ガールフレンドを持ったこともない彼にはよく理解できなかったが、珍しい光景であることは間違いない。カメラに何枚か収めた。

改札口をくぐってホームに出た。腰に微《かす》かに痛みがあったので、大きく伸びをする。日が落ちる寸前で、西の空はもう暗くなりかけていた。鴉《からす》の声が、侘《わび》しく聞こえている。こんなところに泊まるのが怖くなってきたが、今さら予定を変更できない。廃駅で一夜を過ごすぐらい冒険でもないぞ、と自分を鼓舞した。

今日はまだ母親に電話を入れていなかったので、携帯を取り出したが、バッテリーが切れている。昨夜、充電するのを忘れていた。うっかりかけそびれることもあるから、ひと晩ぐらい連絡が抜けても心配はしないだろう。

文字が剝《は》げかけた駅名標や、暇だったであろう駅員が作った花壇の跡を写真に撮ってから、駅舎に引っ込んだ。たちまち黄昏《たそがれ》が迫って、仄《ほの》かに暗い。電気も点《つ》かないのだから、夜がくれば月明かりが射すだけになる。恐ろしくなったらラジオを鳴らしたまま寝よう、と思った。

リュックから食料を出し、窓口脇のテーブルに並べていた時、遠くからオートバイのエンジン音が近づいてきた。流行からずれたカップルがやってきたのか？　だとしたら、自分が邪魔者になってしまうかもしれない。うれしくないな、と思っているとバイクが止まり、ヘルメットを右手にした男が入ってきた。

「あ、こんにちは」

先客がいるのに少し驚いた様子を見せながらも、気さくに声をかけてくれる。年の頃は三十前後か。肩幅が広く、がっちりした体形だ。ジーンズ地のジャケットを羽織り、左肩には大きなショルダーバッグを提げていた。

「おや、君も男一人？」

訊《き》かれて「はい」とだけ答えた。

「廃線マニアの鉄ちゃんなのかな？」

「いいえ。自転車で旅行している途中に寄っただけです」

「そういえば、カッコいいマウンテンバイクがあったな」

「クロスバイクです。スポーツタイプだから、MTBっぽいけれど」

「どこが違うの？　俺、詳しくないんだ」

男はバッグを足許《あしもと》に置き、ぱっちりとした目で、きょろきょろと駅舎内を眺める。ここの様子を知っていたのか、感嘆した様子もなかった。

「説明しにくいんです。マウンテンバイクとロードレーサーの中間タイプだから、クロスバイクっていうらしいんだけれど。いいとこ取りしたバイクです」

「あれで何段変速？」

「八段です。よく走りますよ。タイヤは軽いし」

「ふぅん、自転車野郎か」

「オートバイ野郎なんですか？」

「いいや。バイク……というと本当は自転車の意味だからオートバイって言わなきゃまずいのか。とにかく、そっちじゃないんだ。どっちかと言えば、鉄ちゃんかな」

テンポよく会話ができて面白い。

「自分が廃線マニアだったんですね」

「というのでもない。座って話そうか。待合室がある。けっこう広そうだ」

男はそう言いながら、ガラス戸をからりと開いた。東と南に面した窓際に長いベンチがあり、中央には錆びた達磨《だるま》ストーブが放置されていた。そして、待合室の外ほどではないが壁にはやはり一面のメッセージ。

「ここにも惚気《のろけ》た文句がたくさん貼ってあるな。さすがは〈愛の駅〉だ。彼女いない歴三十一年の男にはこたえるぜ。——君、幸福《こうふく》駅って知ってるかい？」

「聞いたことがあります。北海道でしたっけ？」

「そう。二十年ぐらい前になくなった広尾《ひろお》線に愛国《あいこく》駅だの幸福駅だのがあって、そこの切符が縁起もの扱いされたことがあったんだよね。愛の国から幸福へ、というわけさ。大ブームで、一年間に三百万枚売れたこともあったらしい。国鉄がＪＲになる直前になくなったんだけれど、廃線になった後も車で立ち寄る人間が大勢いて、自分の名刺やなんかを記念に貼りつけていった。それに倣《なら》って、ここでもぺたぺたやるんだろう。神社やお寺の千社札の感覚かな」

男は造りつけのベンチにバッグを置いて、煙草をくわえた。佐光《さこう》と名乗る。

「でかいリュックを持ってるね。もしかして、寝袋が入ってる？」

「はい」

「駅寝するんだ。若いねぇ。いくつなの？」

旅に出て初めて、正直に答えた。学校に行っていないことも。佐光は「ふぅん」と煙を吐く。

「人生色々あるからね。学校に行かずに自転車旅行もいいんじゃないの。でも、朝まで長いよ。退屈しちゃうよ」

「長いですね。ここに早くきすぎたかも」

「かといって、夜が更けてからきたら無気味で泊まる気が萎《な》えたかもね」

佐光は目を細めて何か考えていた。やがて、膝《ひざ》を乗り出して尋ねる。

「俺もここで駅寝するって言ったら、嫌かな？　どこにも宿を取ってないし、突然、そうしたくなったんだけれど、君が少しでも迷惑だったらよそう」

瞬時、迷った。予期しない展開なので、迷惑かどうかも判らない。小さな冒険が冒険でなくなる気がしたが、佐光からは好印象を受けたし、ハプニングを楽しむのもいいかもしれない。それに、独りで駅に寝ることには不安もあったので、佐光のような男が一緒にいたら用心がいい。

「僕はかまいません」

「じゃあ、友だちだ。よろしく」

求められて、握手した。

「本当に迷惑じゃないね？」

「はい。正直なところ、二人の方が安心です」

「それはそうだ。夜中、変な連中の集会所になっている駅もあるものね。見たところ、ここは大丈夫らしいけれど。英語には〈間違った時に間違った場所に居合わす〉という言い回しがある。よくないものと鉢合わせしたら災難だ」

佐光が言うとおりだ。運が悪かった、ではすまない。

「そうと決まれば、いったん町まで戻って飲み食いするものを買ってくるわ。今だったら、まだ店が開いてるだろう。君は欲しいものない？　ないのね」

佐光はバッグを残したまま待合室を出て、慌ただしくオートバイで去った。

戻ってきたのは、四十分後だ。駅舎は、夜に呑《の》み込まれつつあった。心細くなりかけていたので、佐光が入ってくるとほっとした。独りで駅寝する覚悟はすっかり消えていたのだ。

「お待たせ。いやぁ、今日は一日中うろうろしたから腹へった。晩飯にしよう。俺は大人だから、失礼してビールなんか飲むよ。つまみは君もおやつ代わりに食べて」

二人で夕食をとった。暗がりの中のディナーだったが、存外に窓のあたりは明るい。満月のおかげだった。

「佐光さん、お仕事は何をしているんですか？」

「フリーのライター。雑誌に色んなものを書いてる。匿名原稿ばっかりだけどさ。女の子向けのおいしいスイーツ食べ歩きからオヤジ向けのエッチな記事まで。違うものが書きたいから、このあたりに取材にきたんだ」

「廃線を歩く、とか？」

「それだけなら、ありがちだ。もう少し変わったテーマを調べている。鉄道忌避伝説についてなんだけれど、そう聞いて何のことか判る？」

首を振った。

「だよね。えーと……この駅って、町からえらく遠いと思わない？　遠いよね。昔は駅前から町までバスが出ていたぐらいだもの。不便でしょうがないわ。だけど、こういう駅って、全国のあちこちにあるんだよ。東海道本線でいうと、神奈川県の藤沢《ふじさわ》だの愛知県の岡崎《おかざき》だの滋賀県の近江《おうみ》八幡《はちまん》だの。町の中心であるべき駅が、市街地から離れているケースがままある」

鉄道忌避とは、そういうことか。それならば、彼にも聞き覚えがあった。

「知ってます。それって、鉄道にきてもらいたくないって町の人が拒んだ結果なんですよね。鉄道ができた当時はみんな無知だったから、そんなものが通ったら汽車の煙で洗濯物が汚れるとか、うるさいとか」

佐光はつまみの柿ピーナッツをかじりながら頷いた。

「煤煙《ばいえん》で稲や桑がダメージを受けるとか、騒音で牛の乳が出なくなるとか、汽車が宿場町で働く車夫らの仕事を奪う、とかね。佐賀県の伊万里《いまり》駅っていうのも、町と駅が遠いんだ。あれなんか、振動で焼き物が割れてしまうから、町はずれに鉄道を通したかのように言われている」

「かのようにということは、本当は違うんですか？」

「確たる記録がない。ないのに、みんな言うんだ。かつて誤解から『鉄道なんてくるな』と避けたせいで、便のよくないところに駅ができてしまった。町の発展が阻害された。町が衰退してしまった。よく言われることだけれど、これはどうやら伝説らしい。鉄道が町はずれを通ったのは、地形上の制約による場合が多くて、住民が嫌がったわけじゃない。それなのに鉄道忌避伝説が広まっているのは、鉄道史の不備によるわけ。町が寂れた理由が欲しくて、『ご先祖に先見の明がなかったせいだ』と考えたがる傾向もありそうだ。郷土史家が思いつきで書いたことが一人歩きして、お役所が編纂《へんさん》する本に事実として記載されてしまうんだな。文章を書く人間として、考えさせられるものがある」

フリーライターの舌は滑らかだった。

「鉄道忌避は単なる風説みたいなもので、実際に『鉄道なんてくるな』という反対運動が大衆の側にあったわけじゃないらしい。だから、鉄道忌避伝説というわけ」

佐光は、それを実証するためにここまでオートバイでやってきたのか。ご苦労なことだ。意味のある調査なのかもしれないが、どうにも地味に感じられた。

「ここの場合も、地形が原因でこんなところに駅ができたんですか？」

「うん、そこなんだ」

佐光は、歯茎を見せて笑う。

「鉄道忌避伝説については、すでに研究を本にまとめた人もいる。俺なんかは、それを読んで興味を持った口さ。そこに屋上屋を架そうとは思わない。ただね、ここは様子が変わっているんだ。開通したのは明治四十年なんだけれど、鉄道敷設が決まるなり住民が激しい反対運動を起こしている。『わが町に乗り入れることは罷《まか》りならん』と。その理由がどうもはっきりしない」

ライターは缶ビールを飲む。

「文明の利器、陸蒸《おか》気の便利さは知られだしていたから、頑《かたく》なに拒まなくてもよさそうなものなのに、住民らはひどく鉄道を嫌った。断片的ながら記録も残っているよ。その反対運動のおかげで用地買収がうまく進まず、鉄道局が折れてルートが変更になったんだそうだ。何か深い理由がありそうじゃないの。そう思わない？」

「佐光さんのお話がうまいから、気になってきました」

「俺、聞いたんだよね」

「理由を、ですか？」

思わせぶりに言う。

「うん。実は、俺は鉄ちゃんというわけでもないから、こんなローカル線のことはよく知らなかった。名前がロマンティックなのでカップルに人気がある、という噂は耳にしていたけれど、町から離れたところにあるという知識はなかったよ。それが一年ほど前、この町出身の爺《じい》さんとある取材で知り合って、おかしな話を仕入れた。たまたまこの駅のことが話題に上ったので、相手がふと洩《も》らしたんだな。『あの町は鉄道を毛嫌いして避けたのに、そこの駅が人気を集めるとは皮肉だ。まして廃線になってから』なんてね。鉄道を毛嫌い、つまり忌避する理由は何かと訊いたら、『不吉だから』って答えるんだよ。鉄道忌避伝説にも色々あるけれど、不吉がって敬遠したなんて話は聞いたことがない。だけど、ここを通らないと線路が先まで敷けないからね。結局、町を迂回《うかい》する形のルートが選定されて、手が打たれた。それでも町の住民らは嫌がって、毎年開業日には神主がお祓《はら》いをしていたっていうことだ」

「お祓いって、今も？」

「いやいや、廃線になってからはやめたらしいよ」

「判りません。どうして鉄道がそんなに不吉なんですか？」

訊かずにはいられなかった。

「判らないでもない。鉄道がやってくると、交通の便がよくなってありがたいよね。外から人や物が入ってきて、町が活性化する。でも、外から入ってくるものは、いい人やいい物ばかりとは限らない。中には歓迎したくないものも混じるだろ。だから、外と接する場所は本来、怖いところでもあるんだ。闇の領域という言い方もできる。

駅なんかもそうだね。大袈裟《おおげさ》に言えば異界への扉だよ。それはともかく、秩序や平穏を保ちたかったら、共同体は閉じている方がいいわけさ」

「徳川幕府が鎖国したみたいに、ですか？」

「うーん、ちょっと意味合いが違いそうだ。爺さんは、もっとオカルトじみたことを言った。『邪気が吹き込みやすくなる』とか」

「邪気なんて言うと恐ろしいな。だからお祓いをしたんですね？」

「列車が走っている間はね。交通、交易というのは、経済にとってはいいことだろ？でも、それらは見ず知らずのものと交わってこそ成立するから、不安を伴う。一種のリスクだ。それを避けたがる臆病《おくびょう》かつ健全な心理が、邪気なんていう概念をこしらえたんだろう」

「何だか難しい」

佐光は、滔々《とうとう》と続ける。

「あちこちに小さな共同体が散らばっていて、それぞれが貧しかった時代、外部から入ってくるものは禍《わざわい》をもたらすと考えられやすかった。反面、共同体の内部にあるものだけでは豊かになれないから、外部との接触は歓迎すべきことでもあったんだけれどね。たとえば、旅人という存在を考えてごらんよ。得体が知れず、無気味だろ？

とんでもなく悪い奴かもしれない。でも、見方を変えると、旅人なんてかもだよ。懐に金を抱えて、ひょこひょこ迷い込んでくるんだから、襲いかかって身包《みぐる》みを剝げば、たちまち共同体の富が増える。叩《たた》き殺せば、一番世話がなかっただろうな。そんなふうだから、旅人を受け入れる側も、旅人自身も、かつては命を懸けて接触したんだ」

「そんなものですか」

「うん。えーと、つまり何が言いたかったかというと……。そう。この町は昔々、旅人に手ひどい目に遭った歴史があるんじゃないか、と俺は想像するね。トラウマになるような出来事があったのかもしれない。だから外部に対して猛烈なアレルギーを持っていて、それが鉄道忌避という形で表われたのさ」

「佐光さんは、その仮説を検証するためにここへきたんですね。ふぅん、ちょっと面白いかも」

「だろ？　鉄道忌避のほとんどは伝説だが、本当に鉄道を撥《は》ねつけた地域があった。それこそ、現在の〈愛の駅〉である。おいしいテーマだよ。まだ取材にかかったところだけれどね。今日が初日。土地勘を養うために、周辺をバイクで走ったり、廃線跡を歩いたりしたばかりさ」

「取材なのに、旅館も予約していなかったんですか？」

「行き当たりばったりが身上よ。ところで、今聞いたことは内緒にしてくれ。やっと見つけたとっておきのテーマなんだから。この取材のことも、誰にも話してないんだ」

「はい、言いません」

「よぉし。じゃあ、その印に少年よ、飲め。買い込みすぎたし、自分だけやるのは淋しい」

二人は缶ビールで乾杯した。正月に親戚《しんせき》が集まった時に、コップ一杯ぐらい飲んだことがある。

「おお、いい飲みっぷりじゃないか。未来の酒豪だ。だけど無理するな。倒れられては困るし、トイレが近くなるぞ。ああ、そんなことを言ったら小便の気配がしてきたじゃないか。行ってくるわ」

懐中電灯を手にして、佐光が出ていく。残された彼は立ち上がり、待合室の中を所在なく一周した。

片隅のテーブルに〈愛の駅メモリー〉と題したノートがあったので、ぺらぺらとめくってみた。暗いので、懐中電灯を取り出し、明かりを向けると、甘い言葉の羅列だ。馬鹿馬鹿しさが可笑しくて、拾い読みをした。

〈わたしの希望どおり、ここまでつれてきてくれた陽《よう》クンに感謝。これも愛ってことで〉

〈結婚して子供ができたら、絶対またこよう、と約束しました。むふ♡〉

〈愛の駅、サイコー。みんな幸せになれますように！〉

女性の書き込みが多い。男文字があるかと思うと、〈ふざけんじゃねーの。公共の駅を汚すな、バカップルども〉といった落書きだった。嫉妬《しっと》しているようで、みっともないとしか思えない。最後まで目を通し、残りの白紙のページをめくっていたら、

〈たすけて〉

ぽつんと飛んだページの中央に、ボールペンで記された大きな文字が躍っていた。〈て〉の字の最後はまっすぐ下に伸びていて、書き終える前に邪魔が入ったかのようだ。

——何、これ？

彼は訝《いぶか》しむ。ただの悪戯《いたずら》書きなのだろうが、乱れ方がひどく生々しいのだ。余白には、幾種類かの筆跡で別の書き込みがあった。〈たすけて〉への突っ込みだ。

〈お茶でものんでおちつけ〉

〈で、わたしに何をしろと？　ノートに書くひまがあればケータイせんかい。リアリ

ティなし〉

〈愛の駅でレイプ、やめれ〉

明るいところで見たら笑えたかもしれないが、今は無理だ。気味が悪くなって、ノートを閉じた。

そこへ佐光が戻ってきたが、このことは話題にしたくなかった。趣味の悪い冗談の種になるのが嫌だったから。

「どうかした？」

「いいえ、別に。それより、何か面白い話を聞かせてくださいよ、佐光さん。笑えるようなやつ」

「あるよ。俺は失敗談の宝庫だ。爆笑ネタいってみようか」

「ぜひ。あ、その前に僕もトイレに行ってきます。話の途中で立ちたくないから」

外に出て、はっとした。

月が赤い。真っ赤だ。赤い月光が注いでいる。

――鬼月。

ますます嫌な気分になった。

暗いトイレで用を足している間、子供のように怯《おび》えてしまう。冷たい手がぽんと肩を叩くのではないか。振り向くと、白い着物姿の女が長い髪を垂らして立っているのではないか。そんな想像をしてしまい、自分の家に飛んで帰りたくなった。そして、佐光が駅寝に付き合ってくれてよかった、と感謝する。どれだけ心強いことか。

小走りで待合室に戻ると、ライターはベンチに横になって寛《くつろ》いでいた。目が眠たげにとろんとしている。

「アルコールがよく回るねぇ、今夜は。熟睡できそうだわ。君、ほんのり顔が赤いよ。もうやめた方がいいな」

反射的に頬に手をやると、わずかに熱を帯びていた。ビールのせいに違いないのだが、赤い月の光を浴びたせいではあるまいな、と思ってしまう。

――邪気を招くというて、縁起がよくないとされる月です。

――よろしくないものがくるので、家の外に出るなとか言われています。

「月が赤かったね」

佐光がつまらなそうに言った。

「イタリア語でルナ・ロッサというんだ。そんな題名のシャンソンがあったな。もともとカンツォーネだけれど。恋しいあの人もどこかでこの月を見ているのかしら、てな歌詞だよ。こんなだっけ」

調子のはずれた歌声が響く。それを適当なところで止めて、爆笑ネタとやらをせがんだ。

「おう、いこうか。俺がまだ駆け出しで、編集プロダクションの電話番をやらされていた頃の話だ。カメラマンからおかしな連絡を受けて——」

笑えなかったが、なごむ話だった。二つ目は、失笑してしまうような下ネタ。三つ目を話しかけたところで、佐光は大きな欠伸《あくび》をした。

「朝が早かったんで眠い。まだ九時半か。宵の口だけど、寝ようかな。君も寝袋に入れよ」

「佐光さん、そのまま寝るんですか？　風邪ひきますよ」

「平気。俺、暑がりだから、これぐらいがちょうどいいの。悪いけど本当に寝るわ。おやすみ」

じきに鼾《いびき》が聞こえだした。取り残された方は、することもないので時間を持て余す。ラジオをつけようかとも思ったが、とりあえず佐光に言われたとおりリュックから寝袋を出してきて、もぐり込んだ。すると、昼間の疲労感が眠気を運び、知り合ったばかりの男の鼾を子守唄《うた》に、彼もたちまち寝入った。

どれぐらいたった頃か。

何となく目が覚めた。

ベンチの佐光が、もぞもぞと動いている。同じタイミングで睡眠が中断したようだ。

佐光はゆっくりと体を起こし、頭を掻《か》きながら靴を履く。それから腕時計を見て、

「十一時にもなってないのか」と呟《つぶや》いた。

「こうやって過ごすと、夜は長いですね」

「あれ、起きてたの？　俺が起こしちゃったのかな」

「いいえ、佐光さんのせいじゃありません。トイレですか？」

「うん、景気よく放出してくるよ。膀胱《ぼうこう》がぱんぱんだ」

「僕もです」

「じゃあ、先に行って。俺、後でゆっくりがいいわ」

促されて寝袋から這《は》い出し、駅舎を出た。

赤い満月は、南の空高くにあった。空気が生暖かい。風はそよとも吹いておらず、草木も眠り込んでいるようだ。

さっきほど怖がらずにトイレを使い、涼しい顔で待合室へ帰った。入れ違いに佐光が立つ。ライターは、『ルナ・ロッサ』とかいう歌を口ずさみながら出ていった。

——こんなところで寝ても、楽しくはないな。今度目が覚めた時は、朝になっているといいのに。

すぐには寝袋に入らず、軽く体を動かす。

静かだ。

耳を澄ませば心臓の鼓動が聞こえてきそうなほどに。

そんな静寂《しじま》の中。

プシュ。

ホームの方で、空気が洩れるような音がした。

電車の扉が開閉する際、あんな音がする。しかし、今ここで聞くのが不思議で、彼は顔を上げた。電車が停まっていないのはもちろんのこと、ホームには何もなかったはずだ。

——気のせいだ。

そう思おうとした時、今度は部屋の中で異音がした。カサカサと紙が擦《こす》れる音。パタパタと、何かがはためくような音。徐々に大きくなっていく。それが何か判った途端、彼の皮膚はさっと粟立《あわだ》ち、全身の毛が逆立った。

壁に貼られた短冊とハンカチが、蟬か蜻蛉《とんぼ》の羽のごとく小刻みに顫《ふる》えている。隙間風もないというのに。しかも、次第に激しくなっていく。

——何？　これはどういうこと？

どんな説明も考えつかなかった。あまりのことに、四方の壁を見つめるばかりだ。独りでは耐えられないので、早く佐光に戻ってきてもらいたかった。

ホームで、また別の音がする。何かが動いている気配も。人間なのか動物なのかは判らない。緩慢な動作で、改札口に向かって進んでいるように聞こえる。佐光の名を大声で叫びたかったが、それがどんな結果を招くかは知れず、恐ろしくてできなかった。

何かが、くる。

改札口を通り抜け、駅舎に入ってきたようだ。砂袋で床を叩くような音だが、そのリズムからして足音だろう。しかも、一人もしくは一匹ではない。幾人もしくは幾匹かが、今やガラス戸一枚を隔てたすぐ向こうにいる。

彼は息を殺し、聴覚に神経を集中させた。戸の向こうでも、夥《おびただ》しい数の短冊やハンカチが音をたてていた。その中を、足音は進む。ガラスに、ぼんやりとした影が映ったかと思うと、二つ、三つと通り過ぎていく。直立歩行をしながらも、明らかに人間ではない。形も、動きも。既知のどんな生物にも似ていないのだ。一体二体と数えるしかない。しかも、どれも形状が異なっており、あるものは信じられないほど頭部が肥大し、あるものは腕を四本持ち、あるものは瘤《こぶ》だらけで、またあるものは毛の生えた尻尾《しっぽ》らしきものを引きずっていた。

説明をつけようとすれば、つく。

——夢を見ているんだ。こんなことが現実であるはずがない。

そう思おうとするが、自分を騙《だま》すことはできない。すべては悪夢のような現実だった。

異形のものたちは、待合室には用がないらしく、駅舎の外へと出て行く。赤い月の下へと。早く立ち去ってもらいたいのに、その歩みは苛立《いらだ》たしいほどのろかった。それでも確実に遠ざかっているらしく、短冊とハンカチのざわめきが次第に鎮まる。あれらが放つ力が関係しているのだろう。

間違った時に間違った場所に居合わせたのだ。彼は悪寒に顫えながら、ここにきたことを後悔する。時計の針を戻して、今日をやり直したかった。

佐光のことを思い出す。そろそろ手洗いから戻ってくる頃だ。あれらと遭遇したら、どうなるのか？　案じられたが、とてもではないが声をあげて注意を喚起する勇気はない。

やがて何かが起きるだろう。彼は、自分の無力さを痛感しながら、じっと待つ。泣きたくなった。

得体の知れないものたちは、駅の前をうろついている。窓から覗けば、月光を浴びたあれらの姿が見えるかもしれない。だから彼は、窓から目をそむけたままでいた。

一体が手洗いの方へ歩きだしたようだ。佐光の運命が決した気がして、絶望感に襲われる。しかし、それは早いか遅いかだけの問題で、まもなく自分にも降りかかってくることにも思えてしまう。

〈たすけて〉

ノートにそう書き込んだ主は、あれらと出喰《でく》わしてしまったのかもしれない。自分も助けを求めなくてはならないが、携帯電話は使えない。いや、佐光のものがあるではないか。ライターは、バッグの外側についたポケットに携帯電話を入れていた。希望を見出《みいだ》して喜んだのも束《つか》の間、それを借りて110番しようとしたのだが、何故かかからなかった。あれらのせいなのだろう。まだカサカサと鳴る短冊の音が、彼を嘲《あざ》笑《わら》っているかのようだ。

〈たすけて〉

あれを書いた者がどうなったのか、無性に知りたくなった。ノートは、ずっと待合室にあったのだろう。だとしたら、文字による絶叫は、ここで発せられたことになる。あれらは、ガラス戸を開けて入ってくるのか？

——逃げないと。

だが、体が自由に動かなかった。動けたとしても、あれらは駅舎のすぐ前にいる。反対側のホームにだって、何が待ち受けているか判ったものではない。

佐光の声がした。短く「あっ」とだけ。

その直後、揉《も》み合うような音がしたので、思わず耳をふさいでしまった。それでも、獣とも人ともつかない声が「あぐ」「おぐ」とわめくのが聞こえる。佐光は悲鳴をあげることもなかった。

彼は思い直す。助かるためには、まず状況をよく把握するべきだ。両耳に当てていた手を離して、懸命に外の気配を窺《うかが》った。

と、駅舎のすぐ前で、ガチャンと音がした。自転車が倒れたらしい。スポークが回転する音。続いてオートバイも倒された。あれらのうちの一体が玩《もてあそ》んでいるのか。

「うぐ」「えぐ」と喜ぶような声。

手洗いの方でも何かが行なわれているようだ。どんな行為なのか見当がつかないが、何か乱暴なことだろう。人間のものでない声には、怒りが滲《にじ》んでいた。

――死ぬのかな。

そうであっても、こんなわけが判らない最期はつらすぎる。

恐怖のどん底まで落ちた彼の脳裏に、あることが閃《ひらめ》いた。駄目でもともと、すぐに行動を開始する。旅に出た一日目に、神社の宮司からもらったお守りとお札をリュックから掘り出し、抱くように胸に押し当てたのだ。どんな霊験があるのかは知らないが、無力な彼はその呪力《じゅりょく》に頼るしか術《すべ》がなかった。はたしてこんなものが役に立つのか、と疑いつつ。

あれらに動きがあった。駅舎の前に集まって、自転車とオートバイを小突き回している。呼吸が荒いのは、おそらく興奮しているからだ。

――ここに入ってこないでくれ。

切実にそう願う彼の目に、佐光が食べ残した弁当が映った。手を伸ばして引き寄せ、米粒をお札の裏に塗りたくる。そして、ガラス戸の隙間にしっかり貼りつけた。妙案に思えたのだが、これで助かると安堵《あんど》はできない。

外で大きな音がした。見なくても判る。自転車とオートバイが破壊されているのだ。あれらが暴力をふるっている。佐光がどうなったか知れたのも同然だ。彼らをここまで運んできたものは、ひどく念入りに壊されているらしかった。

長い時間が流れた。

物音はしなくなったが、まだいる。

さらに気が遠くなるほど長い時間がたって、あれらが駅舎に戻ってきた。短冊とハンカチが、また騒ぎだす。惨劇のフィナーレを告げるかのように。

ガラス戸の前までできて、一体が立ち止まった。彼は部屋の隅まで這っていき、壁にもたれて、がたがたと顫える。できることは、もう何もなかった。

一分が過ぎ、二分がたつ。

黒い影は動かず、ガラス戸は閉じたままだ。中に入れないのだ。お札に効力があったらしい。

――そこにいてくれ。窓の方に回らないで。

はためくうちに糊《のり》が剥がれたか、何枚かの短冊がひらひらと床に落ちた。めくれ上がったお札の四隅が、苦しげに痙攣《けいれん》している。見えない力と闘っているのかもしれない。

――赦《ゆる》して。もう勘弁して。

お守りを握りしめたまま、彼は埃《ほこり》だらけの床に突っ伏す。

時間の感覚がなくなるほど、恐怖は続いた。

プシュ。

ホームで、いつか聞いた音がした。

身じろぎもしなかった影が揺れる。肩らしきあたりが。

それはしゃべれたのだ。影は、ガラス戸越しに彼に命じた。

「だれ、に、も……いう、な……」

ざらついた、憎悪すら感じる声だった。

馬鹿でかい舌がガラスをひとなめして、影は戸の前を離れた。

一体、二体と通り過ぎていくのが見えた。いずれもぼんやりとした影だ。五体はいた。それらは、この世界の土産にするのか、手に手に何かを持っていた。分解された自転車とオートバイの部品らしい。だがそれだけではなく、明らかに人間の腕や脚に見えるものもあった。

——だれ、に、も……いう、な……。

その命令が頭の中で谺《こだま》するのを聞きながら、彼は意識を失った。

目覚めるとすでに太陽が高く上っていたが、なかなかお札の封印を解くことができなかった。外に出ると自転車もオートバイも消えていて、佐光の姿はどこにもない。

リュックを背負って町まで歩き、バスを乗り継いで帰った。佐光のバッグは駅に放ったまま。

フリーライターが謎の失踪《しっそう》を遂げたとか、〈愛の駅〉で不審な荷物が発見されたとかいうニュースは聞かない。どこかに問い合わせるつもりもない。

そして彼は、沈黙を守っている。アルバイトに就かないまま、二十歳を過ぎた。前に進めそうだと思ったのに、足がすくんでしまったのだ。言うなと厳命されたから話さないが、書くことまでは禁じられていない。そう解釈して、彼は書くことにした。ノートパソコンを持ち出し、昼日中のハンバーガーショップで何日もかけ、歯を食いしばってがんばった。確かめたかったのだ。

その結論が出た。夢ならばここまで克明に書けない。

書いただけでも、あれらは罰を加えようとするだろうか？　しかし彼は、新月の夜であろうと昼間であろうと、あの駅に近づくことはないのだから、大丈夫。

それでも不安はある。逃げおおせた気がしない。

この手記を他人に読んでもらうつもりはないけれど、誰かの目に触れた時のために題名をつけておこう。いかにも小説めいた仰々しい題名を。そうしておけば、こんな文章も含めて嘘っぽくなる。
書き上げてはみたが、まだ救われた気がしない。
いつになったら前に踏み出せるのだろう。
彼は
いや、僕は、夜ごと顫えている。

途中下車

経理の若い女子社員が、先週の出張旅費を席まで持ってきてくれた。礼を言いながら金を財布に収めようとしたら、不意に訊《き》かれる。三日ほど前、K駅前にいらっしゃいませんでしたか、と。

「いたよ。九時過ぎだろう？　食事をしただけだけれど。見られていたのか」

「道路の反対側からお見かけしただけです。阿倍《あべ》部長かなって」

彼女は、近くの英会話教室でレッスンを受けた帰りだったそうだ。距離があったので声はかけなかった、と言い訳がましく付け足す。

「あのへんに馴染《なじ》みのお店でもあるんですか？　Kなんて、何もないところですけれど。あ、詮索《せんさく》するつもりはありませんよ」

「詮索してもらってもいいよ。やましいことはしていないからね。――残念ながら、つまらないことだよ。時々、これまで降りたことがない駅で途中下車して、目についた店で食事をしているんだ。会社帰りの寄り道だな」

「それだけ、ですか？」

「面白そうな店が開いていたら、買い物したり冷やかしたりもする。誰が待つでもない家にまっすぐ帰っても、仕方がないから」

よけいなことを言ってしまった。独身中年男の悲哀をアピールしたようで、阿倍は後悔する。

「判ります。いつも通り過ぎるだけの駅に何かの拍子に降りたら、とても新鮮に感じるものです。それ、いいですね。お金もかからない気分転換だし、私もやってみたくなりました。部長がよければ、ご一緒してもいいかも」

本心なのか、適当に合わせてくれたのか、彼女はそんなことを言って去った。

腕時計を見ると、六時半。仕事に切りがついたし、七時以降の残業禁止デーでもあったので、机の上を手早く片づけ、「お先に」と立った。彼が率先して退社した方が部下も帰りやすい。

仕事から解放されてほっとしているだけなのか、この後に楽しい予定があるのか、浮き浮きした顔の若手社員たちと肩を寄せ合いながらエレベーターで一階に降りると、業務に関係のある本をテナントエリアの書店で購入し、駅へと向かった。

晩秋の風が冷たい。

川さながらの人の流れに身を委《ゆだ》ねながら、彼はしばらく思案する。今日は、どこで途中下車するか。それが問題だった。

アト・ランダムに物事を選ぼうとすると決めかねるのはよくあることで、また純粋に無作為なのでもなく、今の気分に少しでもふさわしい場所を求めようとする気持ちもあって迷う。もとより、どこでもいいのだが。

駅に着き、改札をくぐったところで、ようやく結論が出た。ここ始発駅と彼の住まいの最寄り駅とのちょうど中間あたりにあるN駅で降りてみることにした。駅前の商店街の佇《たたず》まいからして野暮ったい町で、行儀のよくない男子高校生らが乗り降りする。特に目ぼしい施設はないらしい。戯れに降りるのでなければ、生涯縁のない駅だろう。

急行が停まらないので、すでに入線していた快速に乗り込んだ。タイミングが悪く、ちょうど座席がすべて埋まったところだった。かなり混み合うことが判っていたので、車両中ほどの吊《つ》り革に摑《つか》まって買ったばかりの本を開く。ある人材派遣会社の社長が書いたビジネス書だ。入社半年目の新人を対象にしたフォローアップ研修の参考にするため読んでみることにしたのだが、もう少し立ち読みをしてからレジに運ぶべきだった。目次を見ただけで、はったり臭さが鼻に付く。

吊り革がふさがり、他人と密着しなくてはならなくなったところで扉が閉まり、発車した。片手で本を持ったまま三ページほど読んで、嫌になった。本代が惜しくなる。車窓に目をやると、窓ガラスに映った自分と視線がぶつかり、はっとする。まだ四十七だというのに、随分な老け込み方ではないか。光の加減だけではあるまい。頭髪が四割方も白くなっているのは、朝晩の洗面所で確認している。

会社員人生は、定年まで勤め上げたとしてあと十三年。それから長い隠居暮らしが始まる。余生といってもいいかもしれない。その長さを想像すると、溜《た》め息が出そうだが、いや、と思い直す。しばらく前から、すでに自分は余生を過ごしているような気もする。

こんな抜け殻のような男に色目を使ってくる女子社員がたまに現われるのが不思議だった。男鰥《やもめ》に蛆《うじ》が湧かぬよう身なりには気を遣《つか》っているし、体質的に中年太りとも無縁だが、大したご面相でもないのに。口うるさい女房や反抗的な子供といったストレスがなく、所帯やつれしていないせいかもしれない。それと、彼の結婚歴に対する興味か。

阿倍部長は女性に人気が高くて羨《うらや》ましいね、と専務にからかわれたことがあるが、何がうれしいものか。人とは最低限しか交わらないようにしている男にとって、女との接触は煩《わずら》わしいばかりだった。

三つ目の駅で目の前の座席が空いた。車内の混雑を緩和させるために、素早く腰掛ける。再び本を開いてはみたが、愚劣な一文にぶつかったので鞄《かばん》にしまった。吊り広告を眺め、しばらく旅行にも出ていないな、と思ったり、本日発売の週刊誌を一冊読んだつもりになったりする。広告をすべて読んでしまうと、眼前に壁となって立つ乗客らを観察していった。みんな会社帰りの人間らしい。ヘッドホンで音楽を聴いている者、眠っているかのごとく瞑目《めいもく》している者、携帯電話にメールを打ち込んでいる者。読書をしている者も三人いた。活字離れが叫ばれて久しいが、やはり本を通勤の友にする者は少なくない。ただ、そのどれもこれもに図書館のシールが貼られているのを見て、文筆家や出版社、書店の懐具合が案じられた。いつからこのようになったのだろう？　恰幅《かっぷく》のいい重役風の男さえ、シールつきの文庫本を読んでいる。帰宅する前に寄れる図書館があるのか、あるいは日曜日ごとその週に読むものを借り出しに行くのか。

駅を過ぎるほどに、少しずつ乗客は減っていく。乗り換えてくる者もいるが、降りる者の数を上回ることはない。立っている客が疎《まば》らになってほどなくN駅に着いた。腰を上げながら、つい「よいしょ」と言ってしまった。まだ働き盛りだが、若い日は遠い。

ちょうど上りホームにも電車が着いたところだったので、改札口には列ができた。存外に降りる者が多いのだな、と思いながら出た。

真正面にパチンコ屋。その脇にアーケードつきの商店街がある。うろつけばそれなりの夕食にありつけるだろう。まださほど空腹ではないので、まず周辺をぶらりと回ってみることにした。彼の途中下車の楽しみの一つは、古本屋で掘出物を探すことだ。お気に入りなのは、チェーン展開している店ではなく、年老いた店主が退屈そうに店番をしている昔ながらの古本屋。最近はめっきり少なくなったが、この町なら一軒ぐらい生き残っていそうだ。とりあえず商店街を抜けてみよう、と歩きかけたところで、背中から呼び止められた。

「ねぇ、阿倍じゃない？」

振り向くと、顔と不釣合いなほど大きな眼鏡をかけた男が立っている。眼鏡でピンときた。

「小谷野《こやの》か。こんなところで会うとはな」

大学時代のサークル仲間だった。卒業して以来、同窓会で一度会っただけで、さほど深い付き合いはない。寡黙な阿倍とは対照的に饒舌《じょうぜつ》な男だが、昔から気は合った。

「こんなところって、俺はここに住んでいるんだよ。バスで十分ほどのところだ。六年前に引っ越してきて、毎日この駅を使ってる」

「仕事の帰りか？」

当たり前のことを訊いた。阿倍とよく似た黒い鞄を提げていて、遊んだ帰りには見えない。

「そうさ。K南中学で教頭をしている」

ならば通勤の方角が逆だから、朝夕に車中で顔を合わさないはずだ。

「久しぶりだなぁ。だけど、お前こそ、こんなところで何をしてるんだ？」

「話せば長くなる」

面倒くさくて咄嗟《とっさ》に言うと、小谷野は笑った。

「『話せば長くなる』。懐かしいな。お前の学生時代からの口癖だよ。口を開くのが大儀な時の言い訳だろう。よし、なら長い話を聞かせてもらおう。これから用があるのか？　ない。じゃあ、付き合えよ。三十分でもいい。すぐそこに行きつけの店があるんだ」

思いがけない展開だったが、いつも好きこのんで独り晩飯を食べているわけではない。ほのかに喜びつつ、頷《うなず》いた。

ガード下に数軒の店が並んでいた。そのうちの〈漁火《いさりび》〉という赤提灯《ちょうちん》に阿倍は誘われる。カウンターだけのささやかな居酒屋は満席だったが、折よく奥の二人連れが席を立つところだった。

三品ばかり小谷野が注文し、ビールがきたところで、どこに住んでいるのか訊かれた。答えると、怪訝《けげん》な顔をされる。

「で、なんでこんなところにいたんだ？　用もないのに降りるような駅じゃないだろう」

「独り身なんでね。暇なんだ。あちこちで途中下車して、行き当たりばったりのところで食べたり飲んだりしている」

頭上を電車が通過し、尻《しり》から振動が伝わってくる。やかましいが、話を中断しなくてはならないほどの騒音ではなかった。

「独り身で、誘う女性もなしか。相変わらず品行方正だな。昔から合コンも嫌がるタイプだったっけ」

「合コンが苦手だったら品行方正というわけでもないだろう。不器用だから避けていただけさ」

「ご冗談を。それは通らないぞ」

また笑われた。何を指して言っているのか、見当はつく。愉快ならざる言葉が続くかと思ったが、小谷野はさらりと話題を転じた。

「俺も目下のところ独り身でね。といっても、離婚したわけじゃない。義理の親父さんの具合がよくないんで、カミさんが介護しに実家へ帰っているんだ。大学生の娘はアメリカにホームステイ中。しばし独身生活に戻っている状態でね」

「娘さん、もう大学か」

「そういうお年頃なのさ、われわれは。女性はもっと先へ行っているぜ。卒業してすぐ結婚したミキちゃんっていただろう。噂を聞いたんだけれど、もう孫ができたって。お祖母《ばあ》ちゃんだよ」

そんな女の子がいたような気もする。

「しかし、お前も奥さんも大変だな」

「親父さんの容態は、だいぶいいみたいだから、そっちはひと安心だ。俺は呑気《のんき》なものさ。世の中、便利になったからな。ふだんは家事をしない男が急に独りになったって、そんなに困ることはない。一応、学生時代に下宿暮らしは経験しているしな。邪魔する人間がいないから、毎日好きな映画をDVDでたっぷり観ている」

彼らが所属していたのは、部員十人足らずの映画サークルだった。観るのが専門だったから映画を制作したりはせず、マニアックで可愛げのない機関誌を作るだけだった。

「小谷野も教頭か。偉くなったな」

「からかうな。お前こそ大手繊維会社の人事部長だろ。出世したもんだよ」

「うちを大手と呼ぶ人間に初めて会った。さすがは教員、世情に疎《うと》い」

「ぼそっと、きついことを言うところも変わっていないな。お前、今、本気で言っただろ。胸に突き刺さったよ」

話しているうちに、気持ちが晴れてきた。旧友とばったり出会えたことを幸運に思う。ビールを注《つ》ぎ合い、料理を追加した。

一時間ばかりたち、話が途切れた時に、小谷野が言った。

「お前と会う予兆だったのかな。ちょうど昨日、『紅蓮《ぐれん》』を観たんだ」

持ち上げた箸《はし》が、虚空で止まった。

関《せき》ヶ原《がはら》の合戦を前に、細川越中守忠興《ほそかわえっちゅうのかみただおき》の正室として大坂城へ人質に取られることを拒み、家臣に自らを殺《あや》めさせた細川ガラシャを描いた悲劇的な映画だ。公開されたのは、十年前。大家が書いた歴史小説が原作で、主演は桜井紗枝《さくらいさえ》。かつての阿倍の妻だ。

「映画っていうのは、不思議だな。亡くなった人が、いきいきと動いてしゃべっている」

「当たり前だろう」

揚げ豆腐を口にほうり込んだ。

「判っていても妙な気になるよ。この美しい人が、もうこの世にいないのか、と思ったら無常を感じる。お目にかかったことはないけれどな。お前が結婚式に招いてくれていたら、麗《うるわ》しいお顔をじかに拝することができたのに」

式は、当人たちだけですませ、披露宴も身内だけのささやかな食事会だった。紗枝の希望でそうした。彼女にはほとんど身寄りがなく、仕事の関係者も呼びたがらなかったためだ。その情報を摑んだマスコミは〈極秘婚〉などと称し、結婚相手の素性を執拗《しつよう》に知りたがった。当時の紗枝は、美貌《びぼう》と演技力でめきめき売り出し中の人気女優で、初主演した映画が大ヒット中だったから無理もあるまい。彼女は一人だけで記者会見に臨み、夫になった人は芸能界とまったく関係がない会社員なので、そっとしておいて欲しいと頭を下げた。

だが、有名税の徴収を逃れることはできず、二人の新婚生活が一度だけ写真入りで週刊誌に載った。買い物から帰り、マンションに入るところを隠し撮りされたのだ。せめてもの配慮だろう、阿倍の顔はほとんど写っておらず、新妻の幸せそうな笑顔に焦点が合っていた。彼が誰と結婚したのか、職場では知られていたので、何人かの同僚に揶揄《やゆ》された。「男前を写してもらえばよかったのに」「奥さん、君にめろめろだな。羨ましい」などと。さらりと聞き流した阿倍だが、写真の自分がみっともないほど猫背なのが不快だった。「あの桜井紗枝が結婚したのは、十四歳も年上の冴《さ》えないサラリーマン。もったいないよねぇ」と言われているようで。わざとそんな一枚を選びやがった。紗枝にそうぼやくと、「他の写真は、私の写りが変だったのよ」と宥《なだ》め、新妻は夫にしなだれかかった。

甘い生活。長くは続かなかった。

「奥さんが亡くなって……もう七年、いや八年か。月日がたつのは早いな」

そして、阿倍と離婚して九年。『紅蓮』の翌年に別れ、そのあくる年に彼女は突然に逝《い》く。人生で最悪の三年間だった。

「ああ、早い。これから、ますます早くなるんだろう。なんだか面倒だな」

「何が？」

「生きるのが。先が見えてきたから、この後はいっそ早送りでいい。ちまちま一日ずつ過ごしていくのが面倒だ」

小谷野は何も言わない。白けさせたのかもしれない。

「すまない。つまらんことを言った。お前は、娘さんの将来が楽しみのはずだ。校長を目指しているんだろうし、退職したら趣味や旅行三昧《ざんまい》がしたい、なんて奥さんと話すこともあるだろう」

「お互いに枯れるのには早い。お前なんか、まだいい男ぶりなんだから惜しいこと言うなよ。絶対もてるはずだ」

電車が通る。離れた席の酔漢が、その音に負けない声で大笑いした。お客は、帰宅前に一杯ひっかけにきたネクタイ姿の男ばかりだ。阿倍たちがきてから、大半が入れ替わっている。

「再婚は考えないのか？」

訊かれて、無言で首を振った。

「結婚生活にも、太くて短く、細く長く、色々あるわな。お前の場合は、人並みはずれて太く短かったということか」

「もういいじゃないか、そんなことは。色恋なんて齢《とし》じゃない。家政婦や老後の世話をしてくれる女もいらない。独りに慣れてしまったんだよ」

二人の間を、気まずい空気が流れた。これは自分が悪かったな、と思いながらも、阿倍はこしらえてしまった仏頂面を元に戻せない。

「もう行くよ」

ビールを飲み干し、そっとグラスを置いた。

「引き止めてしまったな。ここは俺が出す」

「割り勘にしよう」

「誘った奴に出させろって。この次に奢《おご》ってくれ。そうだ、住所を教えておこう。気が向いたら電話してくれ」

小谷野は、校章が入った名刺を取り出し、その裏にボールペンで連絡先を書き始める。阿倍は頬杖《ほおづえ》を突いて、壁の品書きを見ていた。

また電車がくる。これまでよりずっと大きな轟音《ごうおん》が響くので、どうして急に音が大きくなるのか、と天井を見上げた。

おかしい。

この路線には、六両か八両の編成の電車しか走っていない。それなのに、まるで長大な貨物列車が通過しているかのごとく、轟音と振動はいっかなやまないのだ。他の者たちの反応を見ると、カウンター内の初老の親爺《おやじ》も、客たちも、傍らの小谷野も、まるで意に介していないふうだ。それだけでなく、全員の動きが何故かとても緩慢なのが解せない。

腹に響く音は、なお続いた。店内に満ちていた談笑の声は、掻《か》き消されてまったく聞こえない。異様だった。

恐ろしいばかりの音の中に、何か聞こえる。無機的でありながら人の声のようでもあり、得体が知れない。音とも声とも言えないものだ。不快感に耐えて耳を澄ませたが、聴き取ることはかなわなかった。

小谷野がボールペンを胸ポケットに戻し、名刺をこちらに差し出してきた。その動作は、映画のスローモーションそのものだ。紙片を受け取りながら、気が遠くなりそうだった。

体に変調が生じたとしか思えない。時間を早送りせずとも、自分はすでに健康をひどく害していたのだ。医者に診てもらえば、余命を告げられる身なのかもしれない。

それもよし。

いや、やはり怖い。

電車は、まだ頭上を走っていた。

人目を憚《はばか》らずともよければ耳をふさぎたくなる轟音の中に、かろうじて人の声らしきものが聴こえる。男とも女ともつかぬ声が——

アタシャール。

中学生の頃、一度だけアイドル歌手のポスターを勉強部屋に貼ったことがある。さほど熱を上げていたわけでもないのだが、同世代の連中の真似をしてみただけだ。美少女の弾《はじ》けるような笑顔を見ながら、ぼんやりと思った。この子も普通に恋をしているのだろうか、どんな幸運な男がこんな子を妻にするのだろうか、と。

よもや自分が人気女優と結婚するとは夢想だにしなかった。しかも、十四歳も年上で、ごく当たり前の会社員にすぎないままで。周囲は皆、信じられないという反応をしたが、一番信じられない思いがしたのは阿倍自身だった。

十四年前のあの日、勤務中に虫歯が痛まなければ、彼はまっすぐ帰宅し、隣のビルの歯医者には行くことはなかった。そうすれば、治療を終えてクリニックを出るなり、エレベーターの前で屈《かが》み、懸命に落としたコンタクトレンズを捜す紗枝と出会うこともなかったのだ。同じフロアの雑貨店でアクセサリーを買った直後、目を擦《こす》ったはずみに使い始めて日の浅いレンズが取れたのだという。

膝《ひざ》をついて捜すうちに、それは見つかった。助かりました、と顔をほころばせる彼女に、もしかしたら女優さんではありませんか、と遠慮がちに訊くと、怪訝な顔をされた。まだ駆け出しの自分を知っている者がいるとは思えず、下手なナンパかと警戒したそうだ。吸い込まれるような黒い瞳《ひとみ》が、わずかに怯《おび》えていたのを思い出す。出任せを言ったのではない。単館上映されていた良心的小品に端役として出演していた彼女を心に留めていたのだ。エキセントリックな漫画家を描いた青春映画で、アシスタントの一人を演じた桜井紗枝は、未来の成功を予感させる輝きを放っていた。控えめに賛辞を送ると、彼女は照れながらも喜んだ。

二人は近くの喫茶店で話を続け、また会う約束をして、電話番号を交換し、そして会った。当時の彼は三十三歳、紗枝はまだ二十歳になっていなかった。あまりに年齢が離れていたので、阿倍としては男女の付き合いを始めたという意識はなく、潑溂《はつらつ》として魅力的な新進女優を応援したい気持ちが強かったのだが、五度六度とお茶を飲んで語らううちに、それは逢瀬《おうせ》としか呼べないものになっていく。紗枝に次々と仕事が舞い込みだしたことを祝福し、つらい撮影にめげそうになっているのを励まし、慰め、時に叱った。

テレビドラマの出演がきっかけとなり、交際しだした一年後に、彼女は誰もが知る女優になってしまう。阿倍は戸惑ったが、紗枝は平気だった。人目を忍んで会わねばならない不自由も苦にせず、密会のスリルを楽しんでいた節さえある。彼女が多忙になるにつれ、会う機会がめっきり減ってしまったことを憂い、こんな関係を続けるのも無理か、と不安になりかけた時のこと。紗枝から求婚された。十四歳も年下の女に言わせて、という抗議とともに。夜景の見える展望台の駐車場で、彼は詫《わ》びながら愛する女を抱きしめた。

二人だけの結婚式と内輪だけの食事会。婚姻届を提出し、会社にも報告する。桜井紗枝が電撃結婚した相手が阿倍だと知った周囲は、「偉業だ」「隅に置けないね」と盛り上がった。

生活のリズムが合わず、すれ違いばかりの夫婦になることは予想できたが、理解し合えば、問題はないと思っていた。それだけの愛情と分別が自分たちに備わっていることを疑わず。しかし、いざそんな暮らしが始まってみると、想像を超えたストレスが二人を苛《さいな》んだ。豊かな愛情は逆に苦しみの種となり、知恵だけでは乗り切れない困難があることを知った。

幸せの三ヵ月、忍耐の二年九ヵ月を経て、彼女から離婚を切り出された。別れる時こそ、自分から口にするのが思いやりだった、と今も後悔している。

二人は、二つの独りに戻った。

アタシャール。

それは、結婚生活の形見だ。紗枝マニアと呼ばれる熱狂的なファンも耳にしたことがない、二人だけの秘密の言葉。別れた後、思い出すたびにむず痒《がゆ》くなったり懐かしくなったりする。

砕けた調子でしゃべれるようになった頃、彼は意地悪なことを言ってみた。漫画家のアシスタントを演じた時、妙な台詞《せりふ》があったね、と。

——アタシャールって、何語なんだい？

——それはもしかして、「あたし、やる」？

演技派のくせに彼女には舌足らずなところがあったので、それをからかったのだ。怒られるかな、という心配は杞憂《きゆう》で、紗枝は鋭い突っ込みだと笑った。以来、二人の間にアタシャールは隠語となり、新婚時代も「ゴミを出してこようか」「いいわ、アタシャール」。彼も意表を衝《つ》くタイミングで使い、紗枝を笑わせた。

そのアタシャールが、聴こえる。

小谷野とガード下で飲んで以来、何の前触れもなくアタシャールを聴く。街の雑踏を歩いていると、都会のざわめきの底から。うたた寝から目覚めると、テレビのホワイトノイズの中に。あるいは、通勤の電車内でレールの音に混じって。

身体的な不調ではない。精神の疲れに起因する幻聴なのだ、と理解した。どうしてそんなものが聴こえるようになったのか、原因は定かではない。小谷野と話しているうちに、何かの拍子で追憶のスイッチともいうべきものがオンになったのだろう。放っておけば、じきにやむ。意識しないようにすればいい、と思うが、耳にすると心が乱れた。

彼は、紗枝を二度失っている。一度目は離婚によって、二度目は彼女の死によって。別れた翌春、『交通事故で女優の桜井紗枝さん死亡』のニュースを見た時は、ショックのあまり立てなくなった。新作の打ち合わせの帰り、監督が運転する自慢の高級外車で自宅マンションに送ってもらう途中、飲酒運転のトラックが交差点で助手席に突っ込んだのだ。紗枝は入院先で六時間後に死亡。監督は一命を取り留めて、半年で現場に復帰している。

瀕死《ひんし》の紗枝は、薄れゆく意識の中で何かを伝えようとし、手を差し伸べた。立ち会った医師の話を、古くからのマネージャーが葬儀の折に教えてくれた。紗枝は、繰り返し阿倍の名を呼んでいたのだ。

生き別れて、死に別れた。アタシャールを口にすることも、耳にすることも、永遠になくなったはずなのに。今になって、どこからか、何かが囁《ささや》く。ときにそれは、彼を招いているようでもあった。紗枝があの世から呼んでいるとも阿倍には思えなかったが。

無視することだ。この世で自分しか知らない言葉なのだから、耳打ちしているのは自分自身でしかあり得ない。つまりは幻聴である。その結論だけは揺るがすまい、と固く思った。

邪念を払うために、仕事に精を出した。思わぬ事故やトラブルに巻き込まれないよう、寄り道はやめ、休日もなるべく家で過ごすようにした。紗枝のことは考えないようにし、あの声が聴こえてくると鼻歌で打ち消した。

聴こえてきても、かまいはしない。聞き流し、慣れればよいのだ。実害はない。そう考え、彼はどうにか平穏な生活を保つことに成功したかに思えた。

だが、事態は展回する。

ある朝、出勤しようとしたら読む本がなかった。彼にしては珍しいことだ。四十分近い通勤時間をずっと読書に充てている本の虫だけに、ひどく損をした気になったが、朝っぱらから開いている書店は駅の近辺にもない。扉の脇に居場所を確保すると、見知らぬ者たちと体をくっつけて、所在なく車窓を眺めるしかなかった。

そうしていると、いつも読書に集中していたので沿線の風景をろくに見たことがなかったことに気づく。かつて工場だったところがいつの間にかタワーマンションになっていたり、奇抜な広告塔ができていたりして、なかなか面白い。自分が活字を目で追っている間に、線路のすぐ向こうでは随分と色々な変化が起きていたのだ。

途中下車したことがある駅を次々に通過していく。当面あのような遊びを再開するつもりはなかったが、まだ降りていない駅にさしかかると、つい周辺の様子を観察してしまう。場末に似合わぬほど風格のある中華料理店や、ビルの谷間に古本屋を見つけると、興味をそそられる。下車する価値がありそうな駅は、まだいくつもあった。

Y駅前には、これといって魅力的な店も見当たらず、うら淋《さび》しいを通り越してどこか殺伐とした雰囲気さえ漂っている。駅前の不動産屋の外観は毒々しいまでに派手で、見苦しい。ここだけは降りることがあるまい、と思いながら、ぼんやりと流れゆく景色を見ていたら――

おかしなものが目に飛び込む。行灯《あんどん》式の袖《そで》看板を連ねた雑居ビルに、信じがたい文字があった。

アタシャール。

スナックか、あるいは占い師の店か？　エスニック料理を供するレストランが入居しているようなビルには見えない。思わずガラスに額を押しつけたが、たちまち通り過ぎて確認できなかった。

単なる錯覚だ、と自分を納得させた。聴覚だけでなく、視覚まで変調をきたしたとは思いたくない。この次に見たら、よくまあこれを読み違えたものだ、というほど別の言葉なのだろう。帰りに見直せば苦笑いしてすむはずで、安心するために早く確かめたかった。

勤務中、手がすいた時に、アタシャールに特別の意味があるのではないかと思い、インターネットで調べてみた。いくつかの検索エンジンを利用したが、結果はどれも「一致する情報は見つかりませんでした」。まるで意味のない言葉が店舗や会社の名前になるとは考えにくい。胸にもやもやしたものが溜まっただけだった。仕事に戻り、努めて没頭するうちに、日が暮れた。

気が急《せ》いて、六時過ぎに会社を出る。帰りの電車で朝と同じく扉の脇に立ち、かなり手前から心当たりのビルに注目したのだが、抜かった。あれか、それともあっちのビルだったか、と視線を泳がせたのがまずかったらしく、目的の看板を見逃してしまったのだ。車内で地団駄を踏みたくなった。

彼を乗せた急行は、三つの駅を通過してK駅で停車する。衝動に駆られ、扉が開くなりホームに降りた。そして、反対ホームに回って、やってきた上りの普通列車に乗り換える。Y駅の改札を出て、足であのビルを探すために。

ところが、この試みも失敗してしまう。街灯が少なく、薄闇に包まれたような町をいくら探索しても、例の看板を掲げたビルが見つからないのだ。細い道が複雑に入り組んでいた同じ道を何度もたどるうちに腹立たしくなり、一時間以上も歩き回った末、ついに諦《あきら》めた。

そして、翌朝。今度こそはと、しっかり目を凝らす。それだけでは心許《こころもと》なかったので、携帯電話をカメラモードにしておいた。流れる文字まで撮影できるとは思えないが、ビルの外観ぐらいは写せるだろう。

電車がY駅を出る時、自分でもおかしなぐらい緊張していた。走りだして三十秒とたたないうちに、五階か六階建ての無個性なビルが見えた。行灯看板が縦に五つ並んでいる。その上から二つ目に、確かに〈アタシャール〉とあるではないか。白地に何の装飾もない黒い文字で、ただそれだけ。店なのか、事務所なのかも窺い知れない。素早くシャッターを切った後、不鮮明ながらビルとその周辺が撮れているのを確かめた。これさえあれば、どうにかなるだろう。昨日の失敗を繰り返すつもりはない。

あと十時間ちょっとすれば、それが何か判る。このところ自分を悩ませてきた奇妙な声の正体も突き止められるかもしれない。そう思うと、気分が高揚するのを抑えられず、会社では不自然なまでに快活になり、知らぬ間に大きな声を出していた。「何かいいことがありましたか?」と課長に訊かれ、返事に窮したほどだ。陰では若手社員らが、「今日の部長はテンションが高いよね」と言っていたかもしれない。

「私用があるので、お先に」

考課表の新フォームについて相談中の課長と次長にひと声かけて、阿倍は六時きっかりに席を立った。

駈《か》けだしそうになるのをこらえ、駅まで足早に歩く。よきことが約束されているわけでもないのに、胸がときめいていた。どうしてあんな看板が掲げられているのか見当もつかないが、何かしら紗枝に関係があるのに違いない。どうしてそう思うのか、と自問することはやめる。思考を遮断して、ただ待ち受けている何かの許に直行したかった。

急行が発車するところだったので、慌てて飛び乗った。好都合だ。これでいったんK駅まで行き、昨日のようにY駅に折り返せばいい。そうすれば、もう一度、車窓からあの看板を確認することができる。人を押しのけて奥まで進み、窓がよく見える場所に体を移した。携帯の画像を見直し、これで準備は万端整った。

結局、今度も下り電車の窓から〈アタシャール〉は見つけられなかった。あの行灯看板には、明かりが灯《とも》らないのだろう。それでも、どのビルかは何とか判ったし、位

置も頭に叩《たた》き込んだ。そこまではよかったのだが、携帯電話の画像をしつこく見てい

るうちに操作を誤り、うっかり消去してしまった。

「何とかなるさ」

声に出して呟《つぶや》き、ビルの場所を思い浮かべているうちにK駅に到着する。上り電車

がきているというアナウンスもなかったのに、反対ホームまで階段を駆けずにいられ

なかった。

Y駅で降りた彼は、記憶をたどってビルがある方向に進む。地図を見ながら歩くよ

うなしっかりとした足取りだ。こんな広告、あんな店。車窓から見たあれやこれやを

道標《みちしるべ》にして、目的地に近づいていく。

何を期待しているのか？

考えないようにしていた疑問が、ここにきて強く湧いてきた。それは、彼自身にも

判らないことだ。期待に値するものなど、もうこの世界にはないと思っている。それ

なのに、それでも、望むものが行く手でまっているような気がするのが不思議だった。

道が入り組んできた。斜めに走る二本の小路が混乱の源だ。またも迷ってしまった

が、焦ってはことを仕損じる。いったん駅近くまで引き返し、もつれた糸をほどくつ

もりで正しい道を探っていった。すると、霧が晴れるように正しいルートが見えてく

る。粘り勝ちだ、と笑みが浮かんだ。

人通りがほとんどない道に面したそのビルは、六階建てだった。一階にはシャッターが降りていて、何とかベーカリーという文字の上から貸店舗の紙が貼られている。人が出入りしている気配がなく、どうにも不景気そうなビルだ。〈アタシャール〉以外の看板は、どれも退色や汚れがひどくて満足に読めない。老朽化しているというほどの建物でもないのに。

シャッターの右手に、細くて暗い階段があった。壁に並んだメールボックスには、一つを除いて名前が入っていない。５０１号室に〈アタシャール〉とあるだけだ。新種の美容クリニックなのか、男性向けにいかがわしいサービスを提供する店なのか、雌伏《しふく》の時を送っているベンチャービジネスの会社なのか知らないが、営業しているらしい。彼は呼吸を整え、最初のステップに足をのせた。

五階に上がり、切れかかった蛍光灯が明滅する廊下を奥へ進む。はたして５０１号室のスチール製のドアには、〈アタシャール〉の札が出ていた。とうとう、ここまでやってきた。

インターホンのボタンを押すと、男の声が応《こた》える。

「はい、ただいま」

施錠されていなかったらしく、ドアはあっさりと開いた。途端、中から歓談する男女の声がもれ聞こえてくる。現われたのは、蝶《ちょう》ネクタイを結び、灰色のスーツに身を包んだ青年だ。感情のない目で来訪者を見る。

「いらっしゃいませ、ようこそ」

何らかの店らしい。奥からの声から察するに、会員だけが楽しめる隠れ家的なクラブかもしれない。

「えーと、こちらは、誰でも入れるんですかね。初めてなんですが」

言葉を用意していなかったので、舌がもつれかけた。蝶ネクタイの青年は、畏《かしこ》まって頷く。

「もちろんです。お待ちしていました」

彼がくることを予期していたような口振りを訝《いぶか》りながら、青年の背後の様子を窺おうとした。照明が消えていたとしても廊下の明かりが差し込んでいるはずなのに、真っ暗だ。真っ黒というべきか、真正の闇が見える。一瞬、ぞっとしたが、じきに合点がいった。おそらく漆黒のカーテンが玄関先と店内を隔てているのだ。お客のざわめきが妙に遠く聞こえるのも、厚い幕のためだろう。

「いいんですね？　では」

青年が革靴を履いたままなのを一瞥《いちべつ》し、彼は土足で上がろうとした。ここは何をするところなのか、と尋ねるタイミングは逸した。こうなったら、目《ま》のあたりにして確かめるしかない。

だが、彼は上げた右足を止め、もとの場所に戻した。真っ黒な空間に、女の白い顔がぽっと浮かび上がったからだ。肩や、腕もぼんやりと見える。カーテンの一部が急に半透明になったかのように。そんなことよりも彼を愕然《がくぜん》とさせたのは、それが紗枝だったことだ。この世を去った頃のままの紗枝だ。

呼びかけようとした時、赤い唇が動いた。切なげな表情で何か言おうとしている。声はないが、見て聴き取れた。

――だ、め。

駄目だと言う。二度、三度と。

――ま、だ、だ、め。

懐かしい声が、脳裏で甦《よみがえ》る。

まだ駄目なのか、そうか。

彼女を真似て、声には出さずに応じた。

――わ、かっ、た。

「どうぞ、お客様」

青年は右手を上げ、来訪者の背中に回そうとする。

「すまない。また今度にするよ」

彼は顔をそむけて言うと、踵《きびす》を返し、蛍光灯が明滅する廊下をつかつかと階段に向かった。今にも背中から呼び止められそうで、追ってきた青年に襟首を掴まれそうで、早鐘のように胸が鳴る。走りだしたいのを懸命にこらえて、階段を一段ずつ降りた。

どうやって帰りついたのか、まるで覚えていない。気がつくと、自分のマンションの一室にいた。青年の冷やかな顔が頭に浮かぶたびに恐怖に囚《とら》われ、カチカチと歯が鳴るほど顫《ふる》えた。激しい悪寒に襲われ、体中が熱くなる。冷却シートを額に貼り、ベッドに倒れ込んだ。


一睡もできず、朝を迎えた。

長い夜もついには明け、朝日に窓辺が明るくなる。まだ熱っぽかったが、いくらか気分が落ち着いてくると、喉《のど》の渇きを覚えて、ベッドを出た。

蛇口から注いだ水を飲み、冷却シートを換えてから、カーテンを勢いよく開けた。光を招きいれることで、自分に取り憑《つ》いた禍々《まがまが》しい何かを祓《はら》おうとしたのだ。

昨夜の体験の意味が、まるで判らない。しかし、意味を探ろうとすると寒気がぶり返しそうで、努めて考えないようにした。ダイニングの椅子にへたり込んだまま、心身が正常に戻るのを待つ。出社する気力は湧かず、八時が過ぎたところで会社へ病欠の旨を電話した。

することがなくなったので、気怠《けだる》い体を運ぶようにして、新聞受けから朝刊を取った。テーブルいっぱいに開くなり、社会面にある記事に視線が吸い寄せられた。

Y町で火事。古い雑居ビルから出火し、隣家も半焼。死傷者はなかったが、人家が密集した地区だったため現場付近は一時大混乱。出火原因は漏電か。不審火の疑いもあり。

大事に至らなかったせいか写真はなかったが、火災現場の地図が載っていた。昨夜、まさに彼が訪ねたあたりだ。出火時刻は、午後七時前とのこと。

まだ駄目、と紗枝が言ったわけが理解できた。

途中下車を止められたのだ。彼が降りることを紗枝は望まなかった。

運命というものがあるらしい。それに逆らおうとしたのが自分なのか、紗枝なのか、知る術《すべ》はなかった。

机の抽斗《ひきだし》にしまっていた写真立てを出し微笑む彼女に問いかける。「まだ駄目」と止めてくれたのだから、しかるべき時がきたら「もういいわ」と招いてもくれるんだね、と。

答えてくれない写真を机の上に置き、ベッドに戻る。

そして、夢もなく眠った。

あとがき

本書は、ふだんはもっぱら本格ミステリを書いている私にとって初めての怪談集だ。収録されているのは鉄道が絡む物語ばかりの鉄道怪談集になっている。

もともと私は怪談——というより、怪奇小説が大好きだった。世界中の古典的名作を集めた創元推理文庫の『怪奇小説傑作集』（全五巻）は中学時代に夢中になって読み、今も愛読している。これまで怪奇小説を書いてみようとしなかったのは、本業のミステリに専念していたためだ。

怪談専門誌「幽」（メディアファクトリー）編集部の岸本亜紀《きしもとあき》さんから「怪談の連載を」というお話が持ち掛けられた時、「書いてみたい」という気持ちが芽生えた。岸本さんは、「ダ・ヴィンチ」誌で〈有栖川有栖　ミステリー・ツアー〉という連載をした時の担当編集者で、私がときに怪奇・幻想小説仕立ての紀行エッセイを書いたので、「怪談が書けるだろう」と声を掛けてくださったらしい。

ものは試し、と書き上げたのが冒頭の「夢の国行き列車」で、この時点では鉄道怪談の連作にするつもりはなかった。連載を続けるにあたって何か統一したテーマがあった方が面白いと考えて、わが町大阪を舞台にした怪談で揃えようかともしたのだけれど、迷った末に鉄道にした（大阪怪談は、本書をまとめた後に「幽」で連載した）。

何故、テーマが鉄道なのか？　それは単に私が鉄道好きだからなのだが、前記の『怪奇小説傑作集』の第三巻所収のチャールズ・ディケンズ作「信号手」の影響かもしれない。タイトルで想像がつくとおり鉄道怪談で、中学生の頃に布団の中でどきどきしながら読み、「こういう小説が読めるから、つまらない日常にも我慢して生きられるわ」と思った。

堂々たる怪談専門誌に連載をしておきながら言うのも変だが、この本に収めた作品のすべてが怪談になっているかどうか、作者は確信が持てない。たとえば「密林の奥へ」「海原にて」といった作品は、幻想小説と呼ぶ方がふさわしい気がするし、「最果ての鉄橋」は落語のようだ。表題作「赤い月、廃駅の上に」はホラー小説ではないか。

怪談・幻想小説・ホラー小説はどう区別するのだと訊《き》かれたら、返答に困る。ざっくりと定義づけできないでもないが、重なった部分も多いから。

ただ言えるのは、どの作品も私なりに「怪談らしくあれ」と意識しながら書いた。

私が怪談に求めるものは、同語反復になってしまうが、怪談らしいことである。生の向こう側を視られない人間の夢想、せめて怪談美の片鱗《へんりん》を描いてみたかった。「怖くなければ怪談じゃない」とお考えの方にとっては恐怖が不足しているかもしれないが、飛び切り怖い小説にもいつか挑みたいと思っている。

「幽」以外の媒体に掲載されたものが二編ある。「貴婦人にハンカチを」は、ＪＴＢから刊行されていた「旅」誌から、磐越西《ばんえつさい》線を走るＳＬに乗車した上、それをモチーフにした掌編を、と依頼されて書いた。作中の〈ＳＬばんえつ物語〉号の様子や時刻表は、取材当時のものである。世界中を駆け巡る鉄道カメラマンの第一人者、櫻井寛《さくらいかん》さんとご一緒に旅ができたのはいい想い出だ。

「シグナルの宵」は、サントリーのＰＲ誌「サントリークォータリー」から依頼がきたので、「私は下戸ですけど、いいんですね？」と念を押してから書いた。洋酒が出てくるミステリータッチの短編を請われたので、そのリクエストに応じつつ、（鉄道怪談集を早くまとめたかったこちらの都合で）鉄道怪談としても読めるものにした。四題噺《ばなし》をこなしたことになる。

余談ながら、「海原にて」は私の小説として初めてイタリア語に翻訳された。ひかわ玲子《れいこ》さんのご紹介でトリノ在住の作家・翻訳家のマッシモ・スマレさんに自作を読んでいただく機会を得て、ひかわさん他四人の日本人作家の作品とともにアンソロジー『ALIA storie』に収録された。この作品の最後に出現するものはイタリアでも人気があるらしいので、うれしかった。

これより謝辞です。

鉄道怪談集などというものは、もう二度と出すことはあるまい。だから最初で最後のチャンスだと意を決し、英文学者としても鉄道ファンとしても尊敬する小池滋《こいけしげる》先生（ディケンズの「信号手」も訳しておられます）に解説をお願いしたところ、ご快諾をいただきました。まさに望外の幸せです。

装幀《そうてい》の鈴木久美《すずきくみ》さんには、異界に誘われそうな妖《あや》しく美しい表紙を与えていただき、感謝に堪えません。

私に怪談を書かせてくれた岸本亜紀さんにも、深謝いたします。「岸本さんから依頼されたのだから、俺は怪談が書けるのだろう」と思えました。

雑誌掲載時にご担当いただいた各誌の編集者の皆さんにもお礼を申し上げます。

文庫化にあたって大変お世話になったのは、角川書店編集局第三編集部の伊知地香《いちぢか》織《おり》さんです。いい本にしていただき、ありがとうございます。

本書をお読みいただいた皆様が、怪奇と幻想の旅を楽しまれることを希《ねが》ってやみません。

二〇一二年八月十五日

有栖川有栖

解説　鳥肌の立つ傑作

小池滋（英文学者・鉄道史研究家）

数ある推理小説作家の中で、有栖川有栖さんは鉄道への愛、鉄道についての精通にかけて抜群と広く知られている。小説の他に『有栖川有栖の鉄道ミステリー旅』などのエッセイ集、『有栖川有栖の鉄道ミステリ・ライブラリー』のようなアンソロジー編さんもある。

さらに鉄道怪談もいくつか発表しているのだが、残念ながら推理小説ほど広く知られてはいない。質の高さでは推理小説に劣っていないのだから、もったいないと思う。例えば本書に収められている十篇のうち、「貴婦人にハンカチを」はJTBパブリッシング刊の月刊誌「旅」一九九九年八月号に、「シグナルの宵」は「サントリークォータリー」二〇〇七年冬号に、それ以外の八篇は二〇〇五年六月から二〇〇八年十二月にかけて怪談専門誌「幽」（年二回刊行）に、それぞれ初出となった。単行本として一冊にまとめられて『赤い月、廃駅の上に』の表題の下に刊行されたのが二〇〇九年二月のことだった。

今やっと角川文庫に入れられたことは嬉《うれ》しい限りで、その上解説を書くという光栄ある役まで与えられたので、私は有頂天になっている。というわけで、私がなぜこれらの鉄道怪談を高く評価しているかを、以下できるだけ冷静客観的に記して、読者の皆さんのご参考に供したい。


「怪談」といえば、まず普通は墓地とか人が住まなくなった古い屋敷・城・寺などを舞台にして、ヒュードロドロ、ウラメシヤとなるわけだから、鉄道とは正反対の無縁のものと考えたくなるのも無理はない。鉄道とは合理的・科学的な考え方が生み出した技術システムで、いまや文明国の日常生活に不可欠な一部となっている。怪談とか不可思議とかいうものを否定し、時代遅れとして追放する側の有力な一員なのだ。

だから、鉄道と推理小説とは相性がいいわけで、鉄道推理小説が多くの作家によって創作されたのは納得がいく。それに反して鉄道怪談なんて言葉の矛盾、あり得ないナンセンスだと相手にしない人がいても当然だ。ところが、これまで誰もが無視して来た、あり得ないものを実現させようと挑戦するのが偉大な芸術家の証明なのである。

十九世紀イギリスの大作家チャールズ・ディケンズは、明るいユーモアたっぷりの作品を多く生んでいたが、鉄道怪談ともいうべき短篇「信号手」を一八六六年に発表した。邦訳は岩波文庫『ディケンズ短篇集』などで簡単に読めるから、ここで説明はしないが、有栖川さんの鉄道怪談は、まさにこの系列を受け継ぐ画期的名作と呼んでよいだろう。

本書に収められているどの作品を読んでもわかるように、ありきたりの「怪談」の定義に真っ向から挑戦して、それを変えようとしている。異様で陰気でおどろおどろしい世界ではなくて、平凡な日常生活が描かれている。例えば普通のサラリーマンの毎日の電車による通勤（「途中下車」）など。だが、作品を読み終えると、日常性こそが恐怖を秘めた魔の沼であることを知らされて、読者は背筋が凍りつく。

さらに、こうした奇術を実行するために使われたトリッキーな技法も、極めて独創的で衝撃的である。その第一は叙述の方法。現実上起こり得ないことを描くのだから、当然ファンタジーと呼ばれてよいのだが、それを支える細部は決して幻想ではなく、高度な現実性で裏付けられている。「シグナルの宵」の舞台となっている鉄チャン経営のバー（実物の信号機や模型ジオラマなどであふれている）は、現実にいくらでもある。バーだけでなく和食やカレーのレストランもあることは、鉄チャンではない一般人も知っている。

「赤い月、廃駅の上に」の舞台となっている廃駅は、日本各地に多くある。廃線跡、廃駅、放置された車両、橋、トンネルなどを巡って歩くファンは多いし、ツアーの客寄せに使われることもある。そうしたものを多く撮影した写真家・丸田祥三氏の作品が、単行本のカバーなどに使われているが、丸田氏の作品は広く知られていて、展覧会も開かれ、新聞（例えば「朝日新聞」火曜夕刊）・雑誌を飾っている。この作品の中で、ある鉄チャンが「鉄道忌避伝説については、すでに研究を本にまとめた人もいる」（二二三ページ）と発言しているが、これは事実で、かつて東京学芸大学教授だった地理学者の青木栄一さんがそういう学術論文を公にして学界や鉄チャンの間で大きな話題を呼んだ。

このような細部におけるリアリティの基礎工事がしっかり行われているので、ファンタジーが生み出す恐怖の力が高まり、読者は現実に起こり得ぬとわかっていても、ついつい冷や汗を流してしまう。

もう一つのトリッキーな技法はいわゆる「どんでん返し」、最後に置かれた意外な驚きである。これは推理小説でもよく使われる手である。推理小説ではあり得なそうなことがあり得ると証明して読者を納得させる仕掛けだが、怪談ではその逆で、あり得ないことを読者に納得させようという仕掛けである。

「海原にて」は舞台が洋上の海洋研究船で、スコッチで上機嫌になった船長が海や船に関係した怪談を次々に披露する。読んでいた私は「おいおい、これは鉄道怪談のはずだろ。鉄道はどうした！」と怒鳴りたくなったが、最後にやはり鉄道怪談だと納得させられた。これ以上詳しいことは、まだ読んでいない人の楽しみを奪っては申し訳ないから言わないことにしよう。ただ、次のことだけは書かずにいられない。この作品が書かれたのは二〇〇七年六月以前、例えば東日本大震災とか原子力発電所事故など誰も知らない頃である。著者の予言能力の凄《すご》さに、私は鳥肌が立ってしまった。もう一つ余計なことをつけ加えると、「鳥肌が立つ」とは、もともと極度の恐怖を意味する表現だが、最近では、賞讃《しょうさん》をこめた感動の意味で使われることもあるようだ。私がここで使ったのは、その両方の意味を兼ねている。

こうしたさまざまな巧みな仕掛けが満載だが、どんな素晴らしい独創的なトリックでも、一度使ったら賞味期限が切れてしまう。同じ仕掛けの二番・三番煎《せん》じが出ると読者は恐怖どころか白けてしまう。私が脱帽したのは、どこにも二番煎じがないことだ。十篇のどれもが著者の頭の中からとり立てホッカホカの新品なので、それを生み出す苦労がどれほどのものだったか察しがついた。

ところが、その苦労らしいものを著者はこればかりも紙上に露出させない。芸術家なのだから当たり前と言ってしまえばそれまでだが、誰にでもできることではない。有栖川さんの気前のよさにも私は感心した。「テツの百物語」では、五篇の怪談を書けるほどのアイデアを一篇に凝縮して見せてくれた。その結果この作品では、何ともいえないユーモアがかもし出されている。怪談とユーモアとは、これも互いに無縁の存在であるはずなのだが、ここでもあり得ないはずのものが、つまり怪奇とユーモアとの共存が生まれている。

ユーモアとは余裕がないと生まれて来ないものだと言った人がいるが、この作品で有栖川さんは余裕たっぷりで、自分の才能を出し惜しみせずにどんどん放出してくれた。これを読みながら私は、オレだったらケチな根性に負けて、五つの作品を書いて五倍の原稿料をせしめようとしたのではなかろうかと考えて——また鳥肌が立ってしまった。

作品初出

夢の国行き列車　「幽」vol. 3／二〇〇五年　六　月／メディアファクトリー
密林の奥へ　「幽」vol. 4／二〇〇五年十二月／メディアファクトリー
テツの百物語　「幽」vol. 5／二〇〇六年　六　月／メディアファクトリー
貴婦人にハンカチを　「旅」8月号／一九九九年／JTBパブリッシング
黒い車掌　「幽」vol. 6／二〇〇六年十二月／メディアファクトリー
海原にて　「幽」vol. 7／二〇〇七年　六　月／メディアファクトリー
シグナルの宵　「サントリークォータリー」85号／二〇〇七年　WINTER／サントリー
最果ての鉄橋　「幽」vol. 8／二〇〇七年十二月／メディアファクトリー
赤い月、廃駅の上に　「幽」vol. 9／二〇〇八年　六　月／メディアファクトリー
途中下車　「幽」vol. 10／二〇〇八年十二月／メディアファクトリー

本書は二〇〇九年二月にメディアファクトリーより
刊行された単行本を文庫化したものです。

赤《あか》い月《つき》、廃駅《はいえき》の上《うえ》に

有栖川有栖《ありすがわありす》

平成24年 9月25日　初版発行
令和7年 10月10日　19版発行

発行者●山下直久

発行●株式会社KADOKAWA
〒102-8177　東京都千代田区富士見2-13-3
電話　0570-002-301(ナビダイヤル)

角川文庫 17581

印刷所●株式会社KADOKAWA
製本所●株式会社KADOKAWA

表紙画●和田三造

●お問い合わせ
https://www.kadokawa.co.jp/(「お問い合わせ」へお進みください)
※内容によっては、お答えできない場合があります。
※サポートは日本国内のみとさせていただきます。
※Japanese text only

ISBN978-4-04-100482-1　C0193

角川文庫発刊に際して

角川源義

第二次世界大戦の敗北は、軍事力の敗北であった以上に、私たちの若い文化力の敗退であった。私たちの文化が戦争に対して如何に無力であり、単なるあだ花に過ぎなかったかを、私たちは身を以て体験し痛感した。西洋近代文化の摂取にとって、明治以後八十年の歳月は決して短かすぎたとは言えない。にもかかわらず、近代文化の伝統を確立し、自由な批判と柔軟な良識に富む文化層として自らを形成することに私たちは失敗して来た。そしてこれは、各層への文化の普及滲透を任務とする出版人の責任でもあった。

一九四五年以来、私たちは再び振出しに戻り、第一歩から踏み出すことを余儀なくされた。これは大きな不幸ではあるが、反面、これまでの混沌・未熟・歪曲の中にあった我が国の文化に秩序と確たる基礎を齎らすためには絶好の機会でもある。角川書店は、このような祖国の文化的危機にあたり、微力をも顧みず再建の礎石たるべき抱負と決意とをもって出発したが、ここに創立以来の念願を果すべく角川文庫を発刊する。これまで刊行されたあらゆる全集叢書文庫類の長所と短所とを検討し、古今東西の不朽の典籍を、良心的編集のもとに、廉価に、そして書架にふさわしい美本として、多くのひとびとに提供しようとする。しかし私たちは徒らに百科全書的な知識のジレッタントを作ることを目的とせず、あくまで祖国の文化に秩序と再建への道を示し、この文庫を角川書店の栄ある事業として、今後永久に継続発展せしめ、学芸と教養との殿堂として大成せんことを期したい。多くの読書子の愛情ある忠言と支持とによって、この希望と抱負とを完遂せしめられんことを願う。

一九四九年五月三日

角川文庫ベストセラー

ダリの繭《まゆ》　有栖川有栖

サルバドール・ダリの心酔者の宝石チェーン社長が殺された。現代の繭とも言うべきフロートカプセルに隠された難解なダイイング・メッセージに挑むは推理作家・有栖川有栖と臨床犯罪学者・火村英生！

海のある奈良に死す　有栖川有栖

半年がかりの長編の見本を見るために珀友社へ出向いた推理作家・有栖川有栖は同業者の赤星と出会い、話に花を咲かせる。だが彼は〈海のある奈良へ〉と言い残し、福井の古都・小浜で死体で発見され……。

朱色の研究　有栖川有栖

臨床犯罪学者・火村英生はゼミの教え子から2年前の未解決事件の調査を依頼されるが、動き出した途端、新たな殺人が発生。火村と推理作家・有栖川有栖が奇抜なトリックに挑む本格ミステリ。

ジュリエットの悲鳴　有栖川有栖

人気絶頂のロックシンガーの一曲に、女性の悲鳴が混じっているという不気味な噂。その悲鳴には切ない恋の物語が隠されていた。表題作のほか、日常の周辺に潜む暗闇、人間の危うさを描く名作を所収。

暗い宿　有栖川有栖

廃業が決まった取り壊し直前の民宿、南の島の極楽めいたリゾートホテル、冬の温泉旅館、都心のシティホテル……様々な宿で起こる難事件に、おなじみ火村・有栖川コンビが挑む！

角川文庫ベストセラー

壁抜け男の謎　有栖川有栖

犯人当て小説から近未来小説、敬愛する作家へのオマージュから本格パズラー、そして官能的な物語まで。有栖川有栖の魅力を余すところなく満載した傑作短編集。

小説乃湯　お風呂小説アンソロジー　有栖川有栖

古今東西、お風呂や温泉にまつわる傑作短編を集めました。一入浴につき一話分。お風呂のお供にぜひどうぞ。熱読しすぎて湯あたり注意！　お風呂小説のすばらしさについて熱く語る⁉　編者特別あとがきつき。

幻坂　有栖川有栖

坂の傍らに咲く山茶花の花に、死んだ幼なじみを偲ぶ「清水坂」。自らの嫉妬のために、恋人を死に追いやってしまった男の苦悩が哀切な「愛染坂」。大坂で頓死した芭蕉の最期を描く「枯野」など抒情豊かな9篇。

怪しい店　有栖川有栖

誰にも言えない悩みをただ聴いてくれる不思議なお店〈みみや〉。その女性店主が殺された。臨床犯罪学者・火村英生と推理作家・有栖川有栖が謎に挑む表題作「怪しい店」ほか、お店が舞台の本格ミステリ作品集。

狩人の悪夢　有栖川有栖

ミステリ作家の有栖川有栖は、今をときめくホラー作家、白布施と対談することに。「眠ると必ず悪夢を見る」という部屋のある、白布施の家に行くことになったアリスだが、殺人事件に巻き込まれてしまい……。

角川文庫ベストセラー

濱地健三郎の霊《くしび》なる事件簿　有栖川有栖

心霊探偵・濱地健三郎には鋭い推理力と幽霊を視る能力がある。事件の被疑者が同じ時刻に違う場所にいた謎、ホラー作家のもとを訪れる幽霊の謎、突然態度が豹変した恋人の謎……ミステリと怪異の驚異の融合！

金田一耕助に捧ぐ九つの狂想曲　赤川次郎・有栖川有栖・小川勝己・北森鴻・京極夏彦・栗本薫・柴田よしき・菅浩江・服部まゆみ

もじゃもじゃ頭に風采のあがらない格好。しかし誰よりも鋭く、心優しく犯人の心に潜む哀しみを解き明かす――。横溝正史が生んだ名探偵が9人の現代作家の手で蘇る！　豪華パスティーシュ・アンソロジー！

赤に捧げる殺意　赤川次郎・有栖川有栖・太田忠司・折原　一・霞　流一・鯨　統一郎・西澤保彦・麻耶雄嵩

火村&アリスコンビにメルカトル鮎、狩野俊介など国内の人気名探偵を始め、極上のミステリ作品が集結！　現代気鋭の作家8名が魅せる超絶ミステリ・アンソロジー！

眼球綺譚　綾辻行人

大学の後輩から郵便が届いた。「読んでください。夜中に、一人で」という手紙とともに、その中にはある地方都市での奇怪な事件を題材にした小説の原稿がおさめられていて……珠玉のホラー短編集。

Another (上)(下)　綾辻行人

1998年春、夜見山北中学に転校してきた榊原恒一は、何かに怯えているようなクラスの空気に違和感を覚える。そして起こり始める、恐るべき死の連鎖！　名手・綾辻行人の新たな代表作となった本格ホラー。

角川文庫ベストセラー

Another エピソードS　綾辻行人

一九九八年、夏休み。両親とともに別荘へやってきた見崎鳴が遭遇したのは、死の前後の記憶を失い、みずからの死体を探す青年の幽霊、だった。謎めいた屋敷を舞台に、幽霊と鳴の、秘密の冒険が始まる――。

霧越邸殺人事件〈完全改訂版〉(上)(下)　綾辻行人

信州の山中に建つ謎の洋館「霧越邸」。訪れた劇団「暗色天幕」の一行を迎える怪しい住人たち。邸内で発生する不可思議な現象の数々…。閉ざされた〝吹雪の山荘〟でやがて、美しき連続殺人劇の幕が上がる！

深泥丘奇談《みどろがおかきだん》　綾辻行人

ミステリ作家の「私」が住む〝もうひとつの京都〟。その裏側に潜む秘密めいたものたち。古い病室の壁に、長びく雨の日に、送り火の夜に……魅惑的な怪異の数々が日常を侵蝕し、見慣れた風景を一変させる。

深泥丘奇談《みどろがおかきだん》・続《ぞく》　綾辻行人

激しい眩暈が古都に蠢くモノたちとの邂逅へ作家を誘う。廃神社に響く〝鈴〟、閏年に狂い咲く〝桜〟、神社で起きた〝死体切断事件〟。ミステリ作家の「私」が遭遇する怪異は、読む者の現実を揺さぶる――。

深泥丘奇談《みどろがおかきだん》・続々《ぞくぞく》　綾辻行人

ありうべからざるもうひとつの京都に住まうミステリ作家が遭遇する怪異の数々。濃霧の夜道で、祭礼に賑わう神社で、深夜のホテルのプールで。恐怖と忘却を繰り返しの果てに、何が「私」を待ち受けるのか――!?

角川文庫ベストセラー

震える教室　近藤史恵

歴史ある女子校、鳳西学園に入学した真矢は、マイペースな花音と友達になる。ある日、ピアノ練習室で、2人は宙に浮かぶ血まみれの手を見てしまう。少女たちが謎と怪異を解き明かす青春ホラー・ミステリー。

みかんとひよどり　近藤史恵

シェフの亮二は鬱屈としていた。料理に自信はあるのに、店に客が来ないのだ。そんなある日、山で遭難しかけたところを、無愛想な猟師・大高に救われる。彼の腕を見込んだ亮二は、あることを思いつく……。

ふちなしのかがみ　辻村深月

冬也に一目惚れした加奈子は、恋の行方を知りたくて禁断の占いに手を出してしまう。鏡の前に蠟燭を並べ、向こうを見ると――子どもの頃、誰もが覗き込んだ異界への扉を、青春ミステリの旗手が鮮やかに描く。

本日は大安なり　辻村深月

企みを胸に秘めた美人双子姉妹、プランナーを困らせるクレーマー新婦、新婦に重大な事実を告げられないまま、結婚式当日を迎えた新郎……。人気結婚式場の一日を舞台に人生の悲喜こもごもをすくい取る。

きのうの影踏み　辻村深月

どうか、女の子の霊が現れますように。おばさんとその子が、会えますように。交通事故で亡くした娘を待ちわびる母の願いは祈りになった――。辻村深月が〝怖くて好きなものを全部入れて書いた〟という本格恐怖譚。

角川文庫ベストセラー

友達以上探偵未満　麻耶雄嵩

忍者と芭蕉の故郷、三重県伊賀市の高校に通う伊賀ももと上野あおは、地元の謎解きイヴェントで殺人事件に巻き込まれる。探偵志望の2人は、ももの直感力とあおの論理力を生かし事件を推理していくが!?

ゆめこ縮緬　皆川博子

愛する男を慕って、女の黒髪が蠢きだす「文月の使者」、挿絵画家と若い人妻の戯れを濃密に映し出す「青火童女」、蛇屋に里子に出された少女の記憶を描く表題作等、密やかに紡がれる8編。幻の名作、決定版。

愛と髑髏《どくろ》と　皆川博子

檻の中に監禁された美青年と犬の関係を鮮烈に描く「悦楽園」、無垢な少女の残酷さを抉り出す「人それぞれに噴火獣」、不可解な殺人に手を染めた女の姿が哀切な「舟唄」ほか、妖しく美しい輝きを秘めた短篇集。

写楽　皆川博子

江戸の町に忽然と現れた謎の浮世絵師・写楽。天才絵師・歌磨の最大のライバルと言われ、名作を次々世に送り出し、忽然と姿を消した〝写楽〟。その魂を削る凄まじい生きざまと業を描きあげた、心震える物語。

夜のリフレーン　皆川博子　編／日下三蔵

秘めた熱情、封印された記憶、日常に忍び寄る虚無感——。福田隆義氏のイラスト、中川多理氏の人形と小説とのコラボレーションも収録。著者の物語世界の凄みと奥深さを堪能できる選り抜きの24篇を収録。